brigadeiro gourmet

brigadeiro
gourmet

Lafonte

Brigadeiro Gourmet
Copyright © 2012 by Editora Lafonte Ltda.

Todos os direitos reservados.
Nenhuma parte deste livro pode ser reproduzida sob quaisquer
meios existentes sem autorização por escrito dos editores.

Edição brasileira
Coordenadora de produto   Daniella Tucci
Coordenação editorial   Elaine Barros
Organização   Janaína Suconic e Rosely Ribeiro
Diagramação   Ana Dobón
Fotógrafo   Romeu Feixas

1ª edição: 2012

Dados Internacionais de Catalogação na Publicação (CIP)
(Câmara Brasileira do Livro, SP, Brasil)

Brigadeiro gourmet / [organização Janaína Suconic. –
São Paulo : Lafonte, 2012.

ISBN 978-85-7635-891-6
1. Doces (Culinária) I. Suconic, Janaína.

11-12490   CDD-641.85

Índices para catálogo sistemático:
1. Doces : Receitas culinárias : Economia doméstica   641.85

Av. Profa. Ida Kolb, 551 - 3º andar - São Paulo - SP - CEP 02518-000
Tel.: 55 11 3855-2294 / Fax: 55 11 3855-2280
atendimento@editoralafonte.com.br • www.editoralafonte.com.br

apresentação

O que diferencia o brigadeiro gourmet do brigadeiro comum é a matéria-prima utilizada no seu preparo. O verdadeiro brigadeiro gourmet pede ingredientes de primeira qualidade. Chocolate importado, preferencialmente belga, leite condensado e manteiga de boas marcas. Os confeitos perfeitos são imprescindíveis nessa nova versão do brigadeiro. Além disso, novos sabores como pistache, nozes, gengibre, café, frutas, bebidas, podem ser adicionados criando-se assim outras experiências para o paladar.
Nas próximas páginas você vai encontrar 61 receitas divididas em: clássicos, castanhas, etílicos, exóticos, frutas e especiais. O modo de preparo é o mesmo do antigo brigadeiro, porém na versão gourmet a apresentação e o sabor são incomparáveis, ganhando cada vez mais espaço nas melhores confeitarias de todo o país.

sumário

clássicos

brigadeiro tradicional **10**
brigadeiro branco **14**
brigadeiro noir **16**
brigadeiro belga **18**

castanhas

brigadeiro branco com pistache **22**
brigadeiro de amêndoa **24**
brigadeiro de castanha-de-caju **26**
brigadeiro de castanha-do-pará **28**
brigadeiro de creme de avelã **30**
brigadeiro de granola **32**
brigadeiro de macadâmia **34**
brigadeiro mix de castanhas com damasco **36**
brigadeiro de nozes **38**
brigadeiro de paçoca **40**
brigadeiro de pé de moleque **42**

etílicos

brigadeiro de amarula **46**
brigadeiro de baileys **48**
brigadeiro de cachaça artesanal **50**
brigadeiro de champanhe **52**
brigadeiro de conhaque **54**
brigadeiro de passas ao rum **56**
brigadeiro de saquê **58**
brigadeiro de tequila **60**
brigadeiro de vinho do porto **62**
brigadeiro de uísque **64**

exóticos

brigadeiro de camomila **68**
brigadeiro de chocolate com pimenta **70**
brigadeiro de erva-cidreira **72**
brigadeiro de gengibre **74**
brigadeiro de gergelim **76**
brigadeiro de mel **78**

frutas

brigadeiro de abóbora com coco **82**
brigadeiro de amora **84**
brigadeiro de amora com chocolate **86**
brigadeiro de banana **88**
brigadeiro de cereja **90**
brigadeiro de coco **92**
brigadeiro de framboesa **94**
brigadeiro de laranja **96**
brigadeiro de limão-siciliano **98**
brigadeiro de limão-taiti **100**
brigadeiro de morango **102**

especiais

brigadeiro de café **106**
brigadeiro de capuccino **108**
brigadeiro caramelado **110**
brigadeiro casadinho **112**
brigadeiro de chocolate com menta **114**
brigadeiro crocante **116**
brigadeiro com confeitos coloridos **118**
brigadeiro de cookies **120**
brigadeiro crispies **122**
brigadeiro de doce de leite **124**
brigadeiro de doce de leite com coco queimado **126**
brigadeiro de leite em pó **128**
brigadeiro granulado **130**
brigadeiro de ovomaltine **132**
brigadeiro de palha italiana **134**
brigadeiro prestígio **136**
brigadeiro de quindim **138**
brigadeiro romeu e julieta **140**
brigadeiro vanilla cookie **142**

clássicos

tradicional

brigadeiro tradicional

Rendimento: 25 unidades

Ingredientes
395 g de leite condensado
3 colheres (sopa) de chocolate em pó
50 ml de creme de leite
1 colher (sopa) de manteiga sem sal
raspas de chocolate ao leite para decorar

Modo de Preparo

1. Coloque o leite condensado em uma panela de alumínio, junte o chocolate em pó e misture bem.

2. Acrescente o creme de leite e a manteiga e misture até estar homogêneo. Leve a panela ao fogo médio, mexendo sempre, até a massa começar a se desprender. Retire do fogo.

3. Transfira a massa para uma tigela e leve à geladeira para esfriar.

4. Depois de fria, pegue cerca de meia colher de sobremesa de massa de brigadeiro.

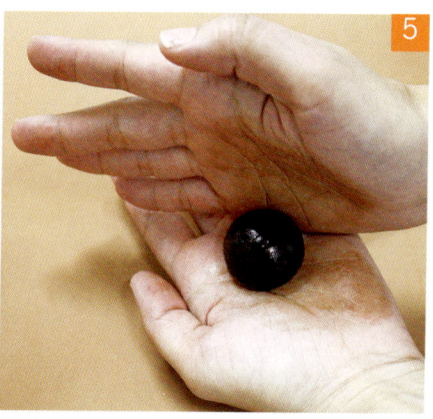

5. Para facilitar o manuseio da massa, umedeça as mãos na água. Modele uma bolinha.

6. Passe a bolinha de massa pelas raspas de chocolate ao leite.

7. Coloque-a em uma forminha de papel forrada com tapete de celofane transparente. Use o mesmo procedimento para as demais.

brigadeiro branco

Rendimento: 25 unidades

Ingredientes

395 g de leite condensado
50 g de chocolate branco
50 ml de creme de leite
1 colher (sopa) de manteiga sem sal
raspas de chocolate branco para decorar

Modo de Preparo

1. Coloque todos os ingredientes em uma panela de alumínio. Leve a panela ao fogo médio, mexendo sempre, até a massa começar a se desprender. Retire do fogo.

2. Transfira a massa para uma tigela e leve à geladeira para esfriar.

3. Depois de fria, pegue cerca de meia colher de sobremesa de massa de brigadeiro. Para facilitar o manuseio da massa, umedeça as mãos na água. Modele uma bolinha. Passe a bolinha de massa pelas raspas de chocolate branco.

4. Coloque-a em uma forminha de papel forrada com tapete de celofane transparente. Use o mesmo procedimento para as demais.

brigadeiro noir

Rendimento: 25 unidades

Ingredientes

395 g de leite condensado
100 g de chocolate 70% cacau
1 colher (sopa) de manteiga sem sal
granulado de chocolate meio-amargo
   para decorar

Modo de Preparo

1. Coloque todos os ingredientes em uma panela de alumínio. Leve a panela ao fogo médio, mexendo sempre, até a massa começar a se desprender. Retire do fogo.
2. Transfira a massa para uma tigela e leve à geladeira para esfriar.
3. Depois de fria, pegue cerca de meia colher de sobremesa de massa de brigadeiro.
4. Para facilitar o manuseio da massa, umedeça as mãos na água. Modele uma bolinha.
5. Passe a bolinha de massa pelo granulado de chocolate meio-amargo.
6. Coloque-a em uma forminha de papel forrada com tapete de celofane transparente.
Use o mesmo procedimento para as demais.

brigadeiro belga

Rendimento: 25 unidades

Ingredientes
395 g de leite condensado
3 colheres (sopa) de cacau em pó Belga
50 g de creme de leite
1 colher (sopa) de manteiga sem sal
granulado de chocolate ao leite Belga para decorar

Modo de Preparo
1. Coloque o leite condensado em uma panela de alumínio, junte o cacau em pó e misture bem. Acrescente o creme de leite e a manteiga e misture até estar homogêneo.
2. Leve a panela ao fogo médio, sem parar de mexer, até a massa começar a se desprender. Retire do fogo.
3. Transfira a massa para uma tigela e leve à geladeira para esfriar.
4. Depois de fria, pegue cerca de meia colher de sobremesa de massa de brigadeiro.
5. Para facilitar o manuseio da massa, umedeça as mãos na água. Modele uma bolinha.
6. Passe a bolinha de massa pelo granulado de chocolate ao leite.
7. Coloque-a em uma forminha de papel forrada com tapete de celofane transparente.
Use o mesmo procedimento para as demais.

castanhas

brigadeiro branco com pistache

Rendimento: 25 unidades

Ingredientes
395 g de leite condensado
50 g de chocolate branco
50 ml de creme de leite
1 colher (sopa) de manteiga sem sal
50 g de pistache triturado
1 colher (sopa) de pasta de pistache
pistache triturado para decorar

Modo de Preparo

1. Coloque todos os ingredientes em uma panela de alumínio.
Leve a panela ao fogo médio, mexendo sempre, até a massa começar a se desprender. Retire do fogo.

2. Transfira a massa para uma tigela e leve à geladeira para esfriar.

3. Depois de fria, pegue cerca de meia colher de sobremesa de massa de brigadeiro. Para facilitar o manuseio da massa, umedeça as mãos na água. Modele uma bolinha. Passe a bolinha de massa pelo pistache triturado.

4. Coloque-a em uma forminha de papel forrada com tapete de celofane transparente. Use o mesmo procedimento para as demais.

brigadeiro de amêndoa

Rendimento: 25 unidades

Ingredientes
395 g de leite condensado
100 g de farinha de amêndoa
2 gemas
1 colher (sopa) de manteiga sem sal
amêndoas laminadas e torradas para decorar

Modo de Preparo
1. Coloque todos os ingredientes em uma panela de alumínio. Leve a panela ao fogo médio, mexendo sempre, até a massa começar a se desprender. Retire do fogo.
2. Transfira a massa para uma tigela e leve à geladeira para esfriar.
3. Depois de fria, pegue cerca de meia colher de sobremesa de massa de brigadeiro.
4. Para facilitar o manuseio da massa, umedeça as mãos na água. Modele uma bolinha.
5. Passe a bolinha de massa pelas amêndoas laminadas.
6. Coloque-a em uma forminha de papel forrada com tapete de celofane transparente. Use o mesmo procedimento para as demais.

brigadeiro de castanha-de-caju

Rendimento: 25 unidades

Ingredientes
395 g de leite condensado
50 g de chocolate branco
80 ml de creme de leite
1 colher (sopa) de manteiga sem sal
100 g de castanha-de-caju triturada
xerém de castanha-de-caju para decorar

Modo de Preparo
1. Coloque todos os ingredientes em uma panela de alumínio. Leve a panela ao fogo médio, mexendo sempre, até a massa começar a se desprender. Retire do fogo.
2. Transfira a massa para uma tigela e leve à geladeira para esfriar.
3. Depois de fria, pegue cerca de meia colher de sobremesa de massa de brigadeiro.
4. Para facilitar o manuseio da massa, umedeça as mãos na água. Modele uma bolinha.
5. Passe a bolinha de massa pelo xerém de castanha-de-caju.
6. Coloque-a em uma forminha de papel forrada com tapete de celofane transparente. Use o mesmo procedimento para as demais.

brigadeiro de castanha-do-pará

Rendimento: 25 unidades

Ingredientes
395 g de leite condensado
50 g de chocolate branco
80 ml de creme de leite
1 colher (sopa) de manteiga sem sal
100 g de castanha-do-pará triturada
farinha de castanha-do-pará para decorar

Modo de Preparo
1. Coloque todos os ingredientes em uma panela de alumínio. Leve a panela ao fogo médio, mexendo sempre, até a massa começar a se desprender. Retire do fogo.
2. Transfira a massa para uma tigela e leve à geladeira para esfriar.
3. Depois de fria, pegue cerca de meia colher de sobremesa de massa de brigadeiro.
4. Para facilitar o manuseio da massa, umedeça as mãos na água. Modele uma bolinha.
5. Passe a bolinha de massa pela farinha de castanha-do-pará.
6. Coloque-a em uma forminha de papel forrada com tapete de celofane transparente. Use o mesmo procedimento para as demais.

brigadeiro de creme de avelã

Rendimento: 25 unidades

Ingredientes
395 g de leite condensado
1 colher (sopa) de chocolate em pó
30 ml de creme de leite
1 colher (sopa) de manteiga sem sal
150 g de creme de avelã
avelãs laminadas para decorar

Modo de Preparo
1. Coloque o leite condensado em uma panela de alumínio, junte o chocolate em pó e misture bem. Acrescente o creme de leite, a manteiga e o creme de avelã e misture até estar homogêneo.
2. Leve a panela ao fogo médio, mexendo sempre, até a massa começar a se desprender. Retire do fogo.
3. Transfira a massa para uma tigela e leve à geladeira para esfriar.
4. Depois de fria, pegue cerca de meia colher de sobremesa de massa de brigadeiro.
5. Para facilitar o manuseio da massa, umedeça as mãos na água. Modele uma bolinha.
6. Passe a bolinha de massa pela avelã laminada.
7. Coloque-a em uma forminha de papel forrada com tapete de celofane transparente. Use o mesmo procedimento para as demais.

brigadeiro de granola

Rendimento: 25 unidades

Ingredientes
395 g de leite condensado
70 g de chocolate branco
100 ml de creme de leite
1 colher (sopa) de manteiga sem sal
100 g de granola
granola para decorar

Modo de Preparo
1. Coloque todos os ingredientes em uma panela de alumínio. Leve a panela ao fogo médio, mexendo sempre, até a massa começar a se desprender.
2. Retire do fogo e acrescente os 100 g de granola. Misture bem.
3. Transfira a massa para uma tigela e leve à geladeira para esfriar.
4. Depois de fria, pegue cerca de meia colher de sobremesa de massa de brigadeiro.
5. Para facilitar o manuseio da massa, umedeça as mãos na água. Modele uma bolinha.
6. Passe a bolinha de massa pela granola.
7. Coloque-a em uma forminha de papel forrada com tapete de celofane transparente. Use o mesmo procedimento para as demais.

brigadeiro de macadâmia

Rendimento: 25 unidades

Ingredientes
395 g de leite condensado
50 g de chocolate branco
70 ml de creme de leite
1 colher (sopa) de manteiga sem sal
100 g de macadâmia triturada
macadâmia triturada para decorar
confeitos de chocolate branco para decorar

Modo de Preparo
1. Coloque todos os ingredientes em uma panela de alumínio. Leve a panela ao fogo médio, mexendo sempre, até a massa começar a se desprender. Retire do fogo.
2. Transfira a massa para uma tigela e leve à geladeira para esfriar.
3. Depois de fria, pegue cerca de meia colher de sobremesa de massa de brigadeiro.
4. Para facilitar o manuseio da massa, umedeça as mãos na água. Modele uma bolinha.
5. Passe a bolinha de massa pela macadâmia triturada e decore com um confeito de chocolate branco.
6. Coloque-a em uma forminha de papel forrada com tapete de celofane transparente. Use o mesmo procedimento para as demais.

brigadeiro mix de castanhas com damasco

Rendimento: 25 unidades

Ingredientes
395 g de leite condensado
2 colheres (sopa) de cacau em pó
100 ml de creme de leite
1 colher (sopa) de manteiga sem sal
90 g de mix de castanhas (30 g de amêndoa picada,
   30 g de castanha-do-pará picada, 30 g de noz picada)
60 g de damasco picado
açúcar cristal para decorar

Modo de Preparo
1. Coloque o leite condensado em uma panela de alumínio, junte o cacau em pó e misture bem. Acrescente o creme de leite e a manteiga e misture até estar homogêneo.
2. Leve a panela ao fogo médio, sem parar de mexer, até a massa começar a se desprender. Retire do fogo.
3. Acrescente o mix de castanha e o damasco e misture bem para que fique bem incorporado.
4. Transfira a massa para uma tigela e leve à geladeira para esfriar.
5. Depois de fria, pegue cerca de meia colher de sobremesa de massa de brigadeiro.
6. Para facilitar o manuseio da massa, umedeça as mãos na água. Modele uma bolinha.
7. Passe a bolinha de massa pelo açúcar cristal.
8. Coloque-a em uma forminha de papel forrada com tapete de celofane transparente. Use o mesmo procedimento para as demais.

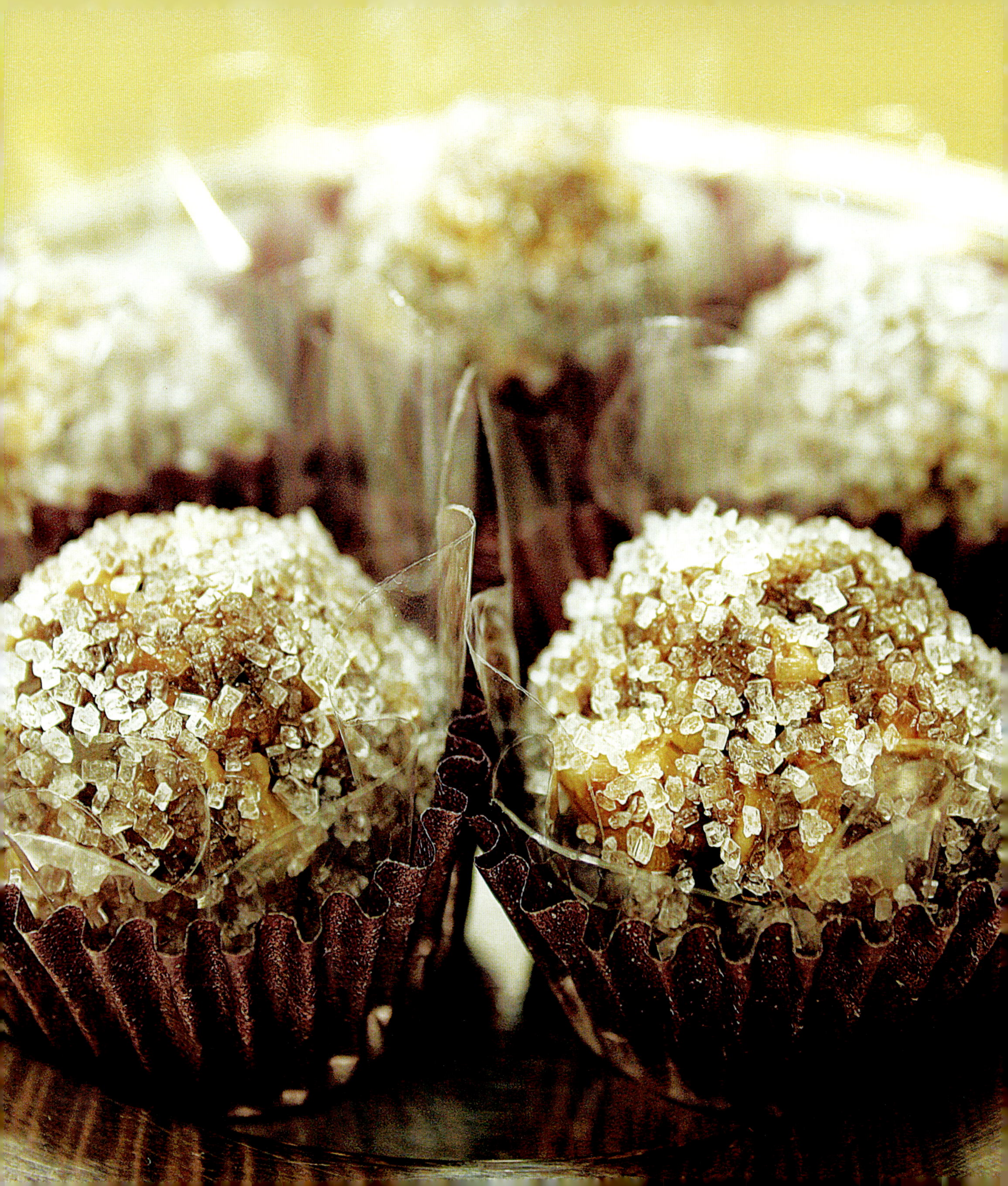

brigadeiro de nozes

Rendimento: 25 unidades

Ingredientes
395 g de leite condensado
50 g de chocolate branco
50 ml de creme de leite
1 colher (sopa) de manteiga sem sal
100 g de noz triturada
nozes trituradas para decorar

Modo de Preparo
1. Coloque todos os ingredientes em uma panela de alumínio. Leve a panela ao fogo médio, mexendo sempre, até a massa começar a se desprender. Retire do fogo.
2. Transfira a massa para uma tigela e leve à geladeira para esfriar.
3. Depois de fria, pegue cerca de meia colher de sobremesa de massa de brigadeiro.
4. Para facilitar o manuseio da massa, umedeça as mãos na água. Modele uma bolinha.
5. Passe a bolinha de massa pelas nozes trituradas.
6. Coloque-a em uma forminha de papel forrada com tapete de celofane transparente.
Use o mesmo procedimento para as demais.

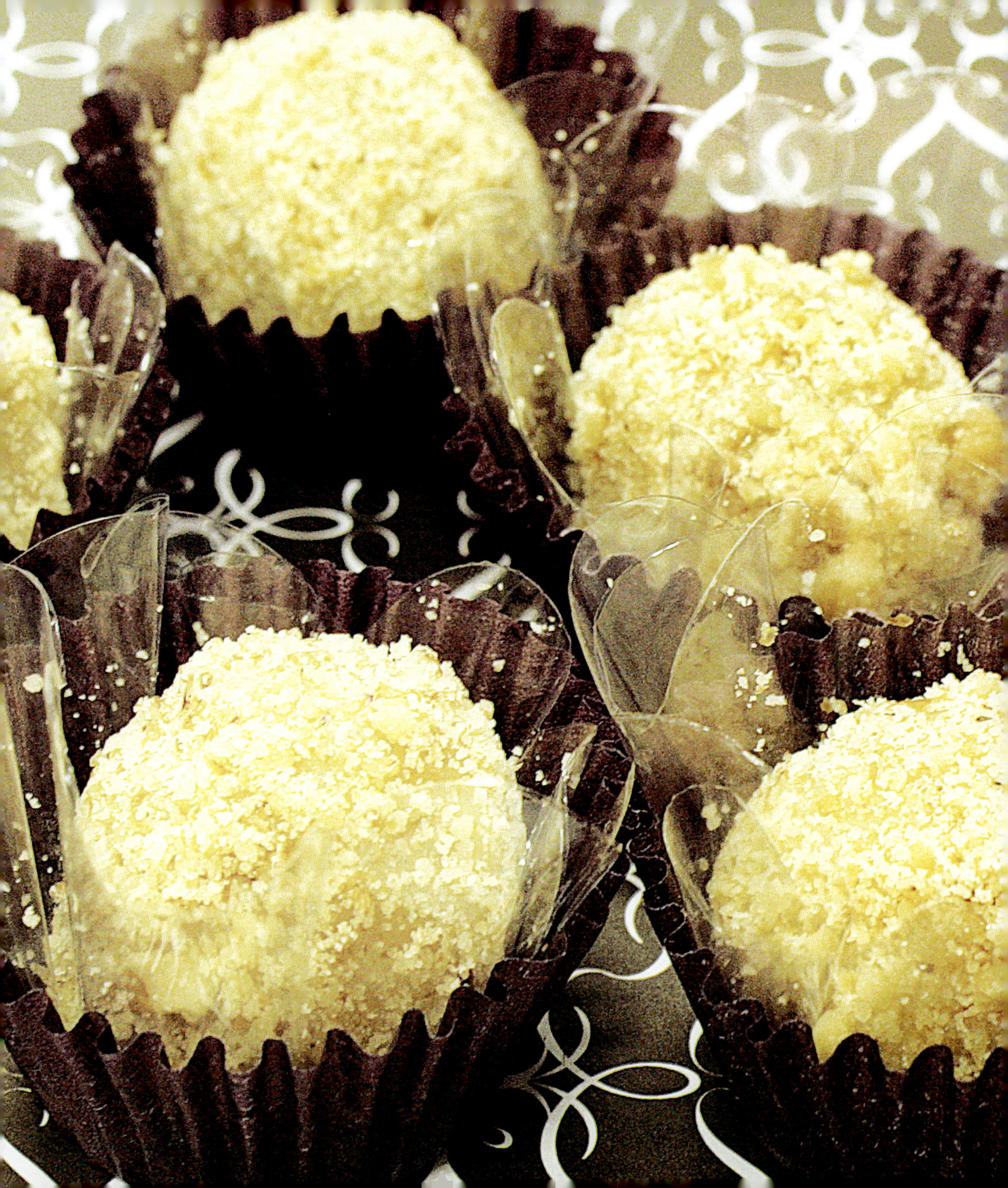

brigadeiro de paçoca

Rendimento: 25 unidades

Ingredientes
395 g de leite condensado
50 g de chocolate branco
50 g de creme de leite
1 colher (sopa) de manteiga sem sal
80 g de paçoca
paçoca esfarelada para decorar

Modo de Preparo
1. Coloque todos os ingredientes, exceto a paçoca, em uma panela de alumínio. Leve a panela ao fogo médio, mexendo sempre, até a massa começar a se desprender. Retire do fogo.
2. Acrescente a paçoca e misture até obter uma massa homogênea.
3. Transfira a massa para uma tigela e leve à geladeira para esfriar.
4. Depois de fria, pegue cerca de meia colher de sobremesa de massa de brigadeiro.
5. Para facilitar o manuseio da massa, umedeça as mãos na água. Modele uma bolinha.
6. Passe a bolinha de massa pela paçoca esfarelada.
7. Coloque-a em uma forminha de papel forrada com tapete de celofane transparente.
Use o mesmo procedimento para as demais.

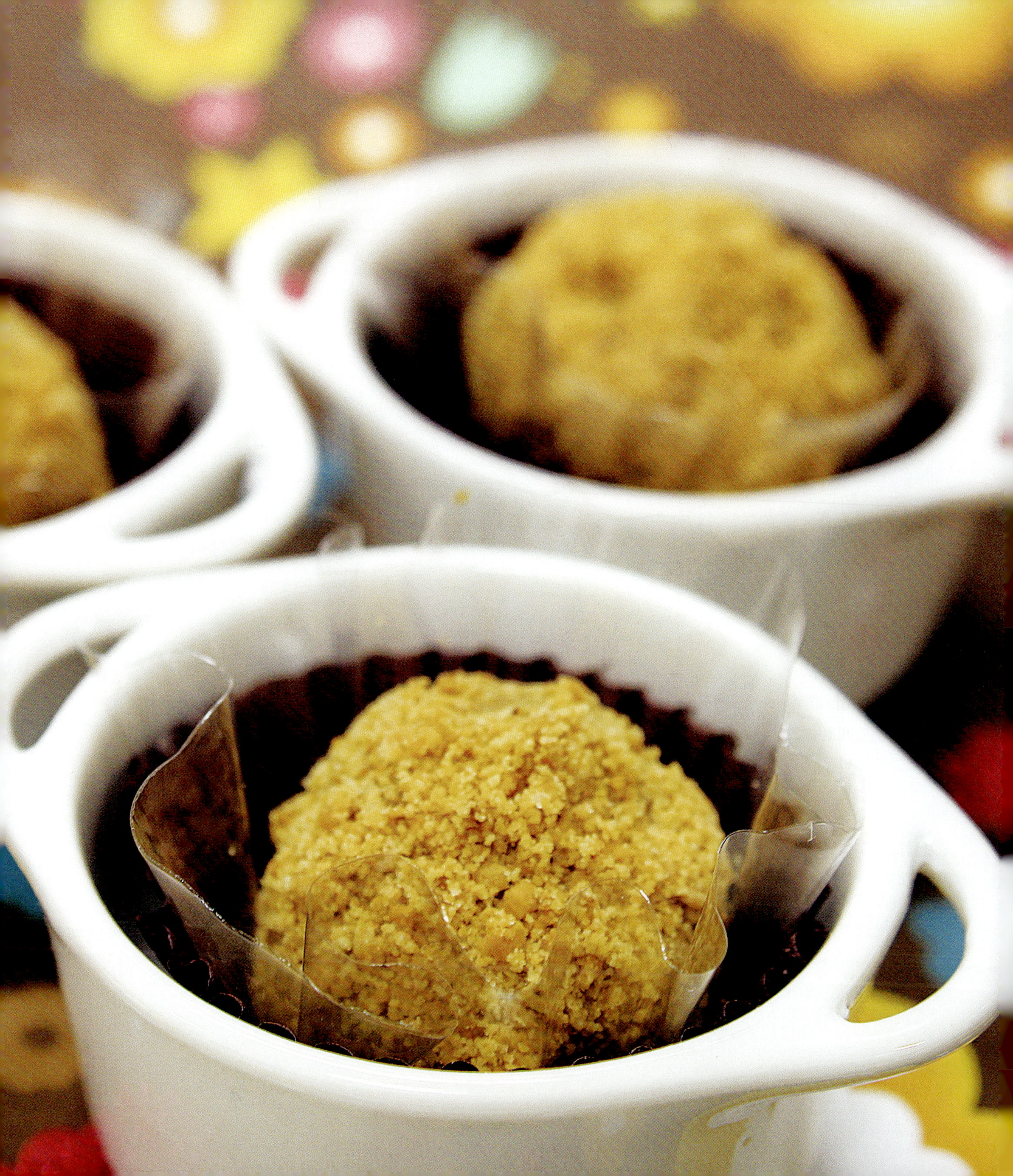

brigadeiro de pé de moleque

Rendimento: 25 unidades

Ingredientes

para a massa do brigadeiro
395 g de leite condensado
50 g de chocolate branco
50 g de creme de leite
1 colher (sopa) de manteiga sem sal
80 g de amendoim torrado sem pele

para o pé de moleque
300 g de açúcar refinado
100 ml de água
1 colher (sobremesa) de xarope de glucose
150 g de amendoim torrado e moído

Modo de Preparo

1. Para preparar a massa do brigadeiro, coloque todos os ingredientes em uma panela de alumínio. Leve a panela ao fogo médio, mexendo sempre, até a massa começar a se desprender. Retire do fogo.
2. Transfira a massa para uma tigela e leve à geladeira para esfriar.
3. Prepare o pé de moleque: em uma panela, misture o açúcar, a água e a glucose e leve ao fogo até ficar da cor de caramelo-claro.
4. Retire do fogo, espere a fervura reduzir e acrescente o amendoim.
5. Despeje o caramelo em uma superfície de mármore ou em um silpat e deixe esfriar.
6. Depois de frio, quebre-o em pedaços pequenos com a ajuda de um martelinho.
7. Retire a massa do brigadeiro da geladeira e pegue cerca de meia colher de sobremesa de massa.
8. Para facilitar o manuseio da massa, umedeça as mãos na água. Modele uma bolinha.
9. Passe a bolinha de massa pelo pé de moleque.
10. Coloque-a em uma forminha de papel forrada com tapete de celofane transparente.

Use o mesmo procedimento para as demais.

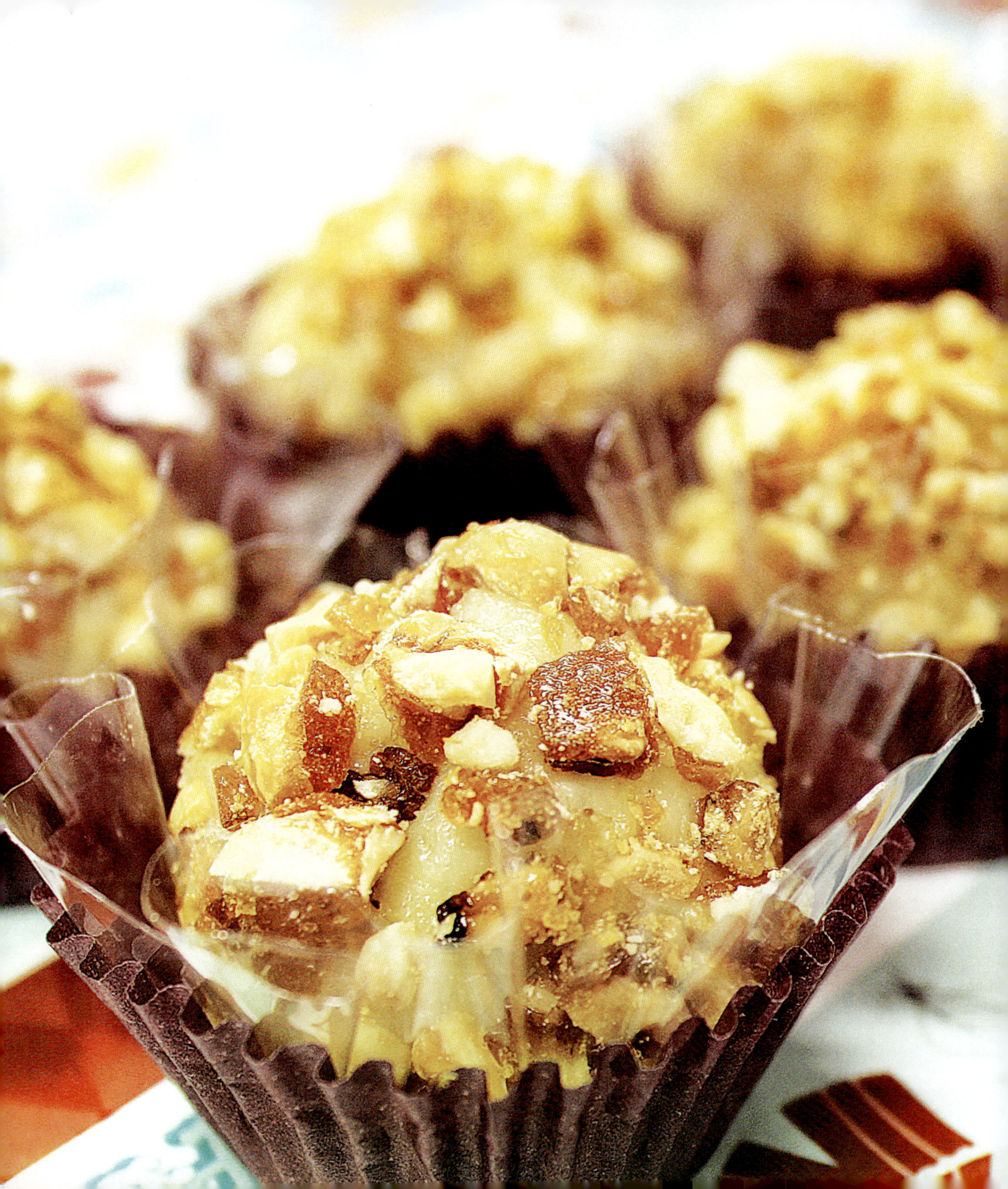

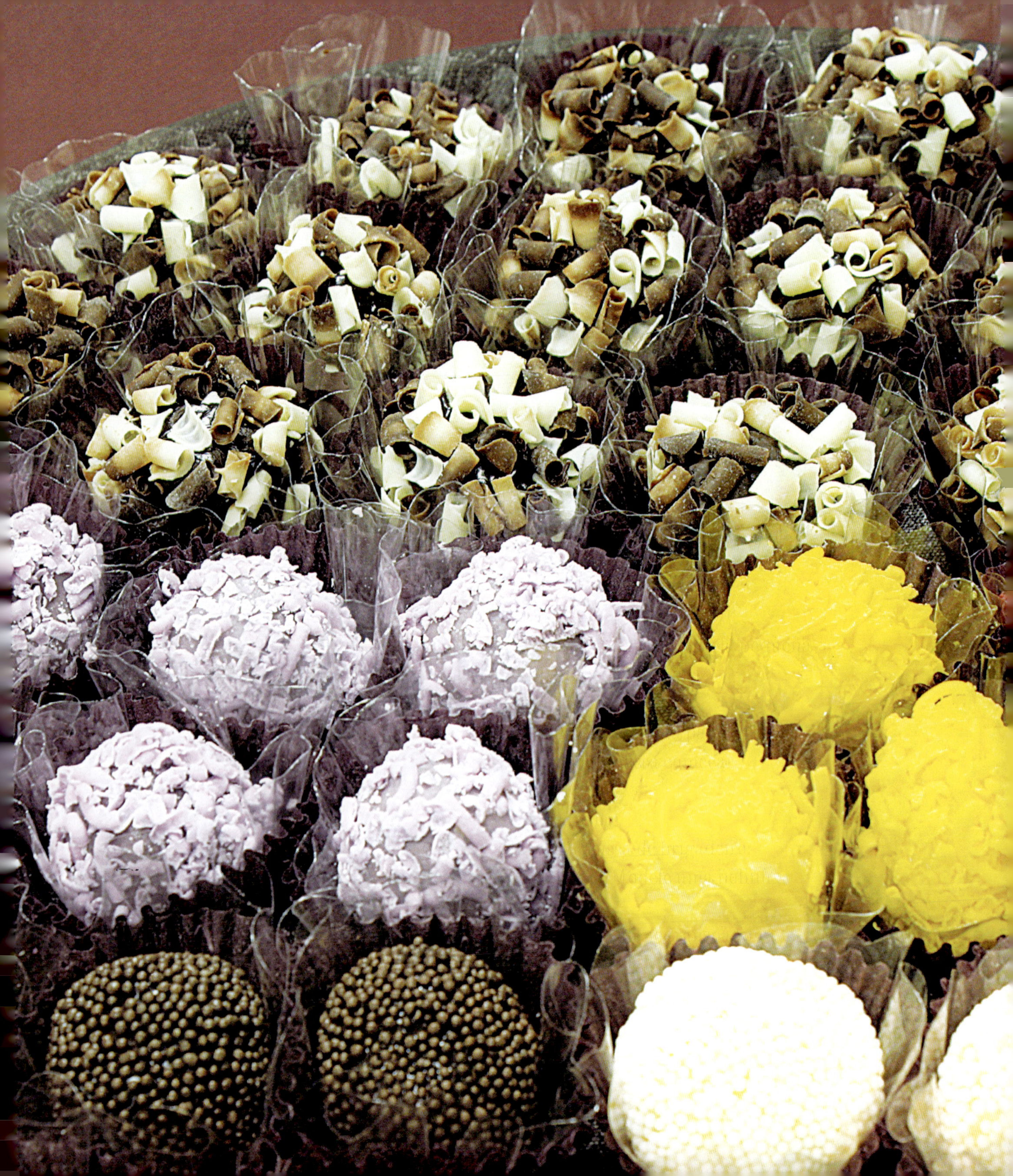

etílicos

brigadeiro de amarula

Rendimento: 25 unidades

Ingredientes
395 g de leite condensado
80 g de chocolate meio-amargo
50 ml de creme de leite
1 colher (sopa) de manteiga sem sal
100 ml de Amarula
confeitos dourados para decorar

Modo de Preparo
1. Coloque todos os ingredientes, exceto a Amarula, em uma panela de alumínio. Leve a panela ao fogo médio, mexendo sempre, até levantar fervura.
2. Acrescente a Amarula e, sem parar de mexer, deixe no fogo até a massa começar a se desprender. Retire do fogo.
3. Transfira a massa para uma tigela e leve à geladeira para esfriar.
4. Depois de fria, pegue cerca de meia colher de sobremesa de massa de brigadeiro.
5. Para facilitar o manuseio da massa, umedeça as mãos na água. Modele uma bolinha.
6. Passe a bolinha de massa pelos confeitos dourados.
7. Coloque-a em uma forminha de papel forrada com tapete de celofane transparente. Use o mesmo procedimento para as demais.

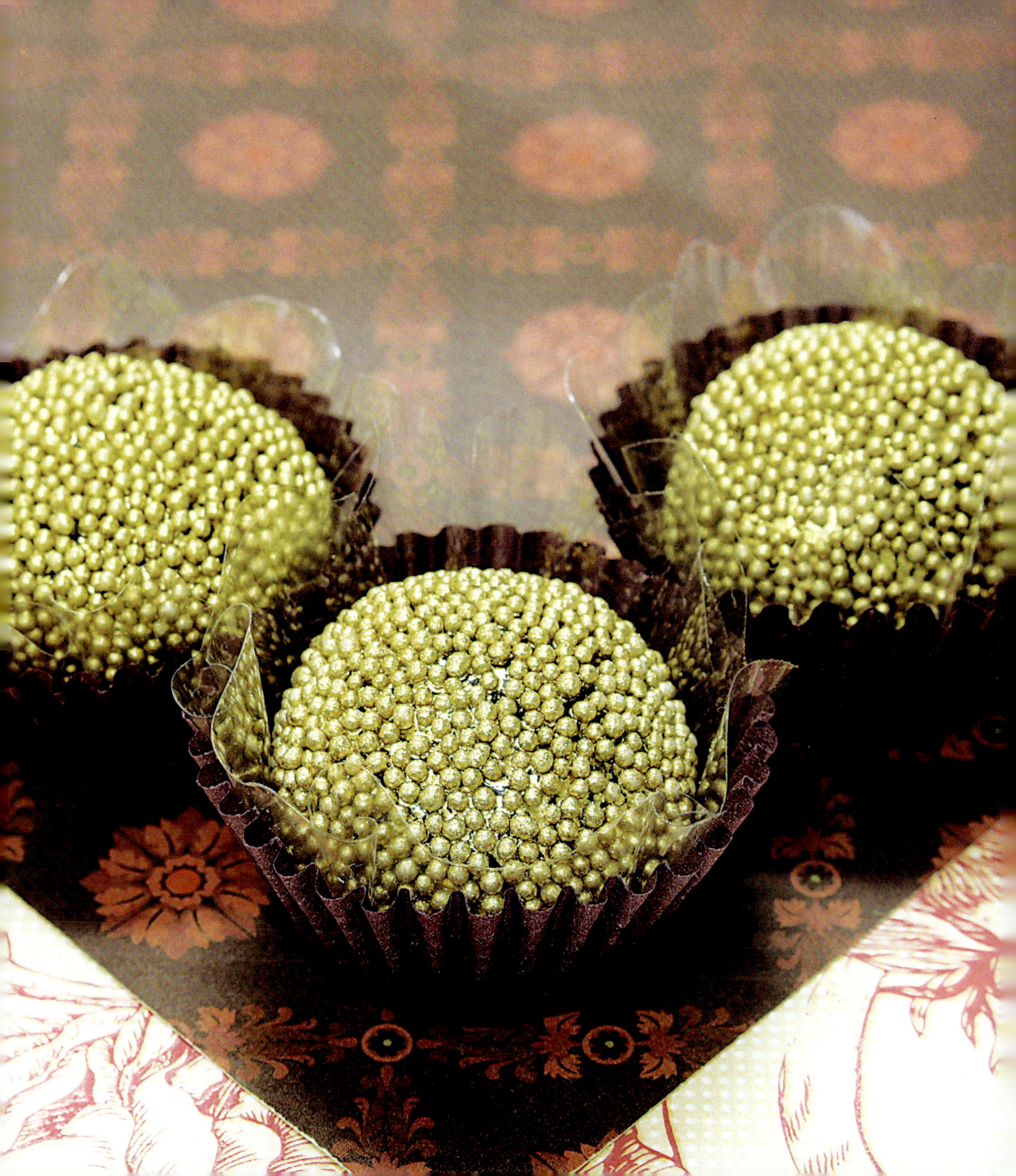

brigadeiro de baileys

Rendimento: 25 unidades

Ingredientes

395 g de leite condensado
2 colheres (sopa) de chocolate em pó
50 ml de creme de leite
1 colher (sopa) de manteiga sem sal
100 ml de licor Baileys
raspas de chocolate branco tingido com corante
   vermelho para chocolate para decorar

Modo de Preparo

1. Coloque o leite condensado em uma panela de alumínio, junte o chocolate em pó e misture bem. Acrescente o creme de leite e a manteiga e mexa até estar homogêneo.
2. Leve a panela ao fogo médio, mexendo sempre, até levantar fervura.
3. Acrescente o licor, sem parar de mexer, e deixe no fogo até a massa começar a se desprender. Retire do fogo.
4. Transfira a massa para uma tigela e leve à geladeira para esfriar.
5. Depois de fria, pegue cerca de meia colher de sobremesa de massa de brigadeiro.
6. Para facilitar o manuseio da massa, umedeça as mãos na água. Modele uma bolinha.
7. Passe a bolinha de massa pelas raspas de chocolate.
8. Coloque-a em uma forminha de papel forrada com tapete de celofane transparente. Use o mesmo procedimento para as demais.

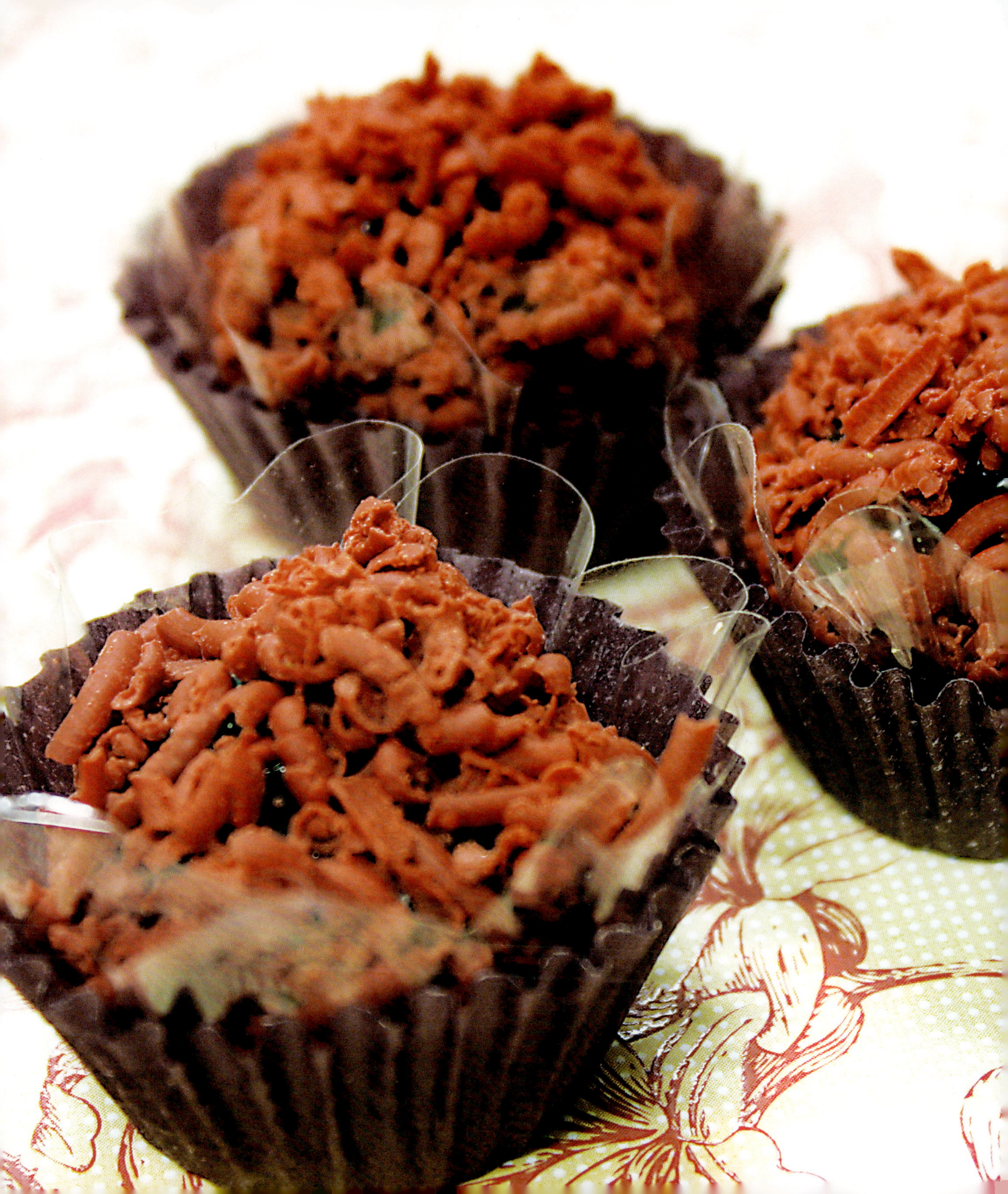

brigadeiro de cachaça artesanal

Rendimento: 25 unidades

Ingredientes
395 g de leite condensado
80 g de chocolate meio-amargo
50 ml de creme de leite
1 colher (sopa) de manteiga sem sal
100 ml de cachaça artesanal
raspas de chocolate branco tingido com corante
  para chocolate amarelo para decorar

Modo de Preparo
1. Coloque todos os ingredientes, exceto a cachaça, em uma panela de alumínio. Leve a panela ao fogo médio, mexendo sempre, até levantar fervura.
2. Acrescente a cachaça, sem parar de mexer, e deixe no fogo até a massa começar a se desprender. Retire do fogo.
3. Transfira a massa para uma tigela e leve à geladeira para esfriar.
4. Depois de fria, pegue cerca de meia colher de sobremesa de massa de brigadeiro.
5. Para facilitar o manuseio da massa, umedeça as mãos na água. Modele uma bolinha.
6. Passe a bolinha de massa pelas raspas de chocolate.
7. Coloque-a em uma forminha de papel forrada com tapete de celofane transparente. Use o mesmo procedimento para as demais.

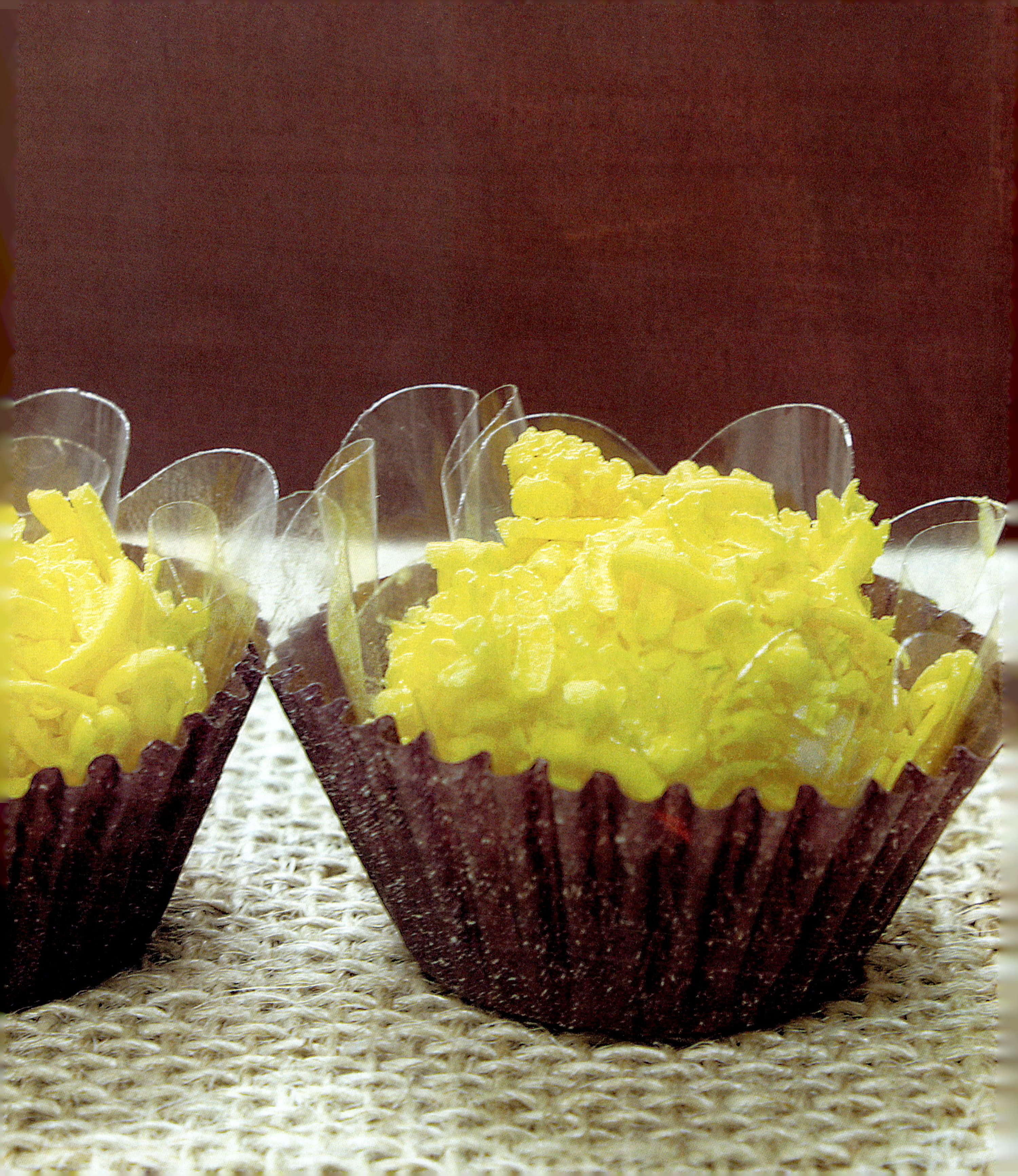

brigadeiro de champanhe

Rendimento: 25 unidades

Ingredientes
395 g de leite condensado
50 g de chocolate branco
100 ml de creme de leite
100 g de pasta de champanhe
confeitos de chocolate branco perolados para decorar

Modo de Preparo
1. Coloque todos os ingredientes em uma panela de alumínio. Leve a panela ao fogo médio, mexendo sempre, até a massa começar a se desprender. Retire do fogo.
2. Com a massa ainda quente, distribua-a em tacinhas plásticas.
3. Leve à geladeira para esfriar.
4. Depois de fria, decore com os confeitos de chocolate branco perolados.

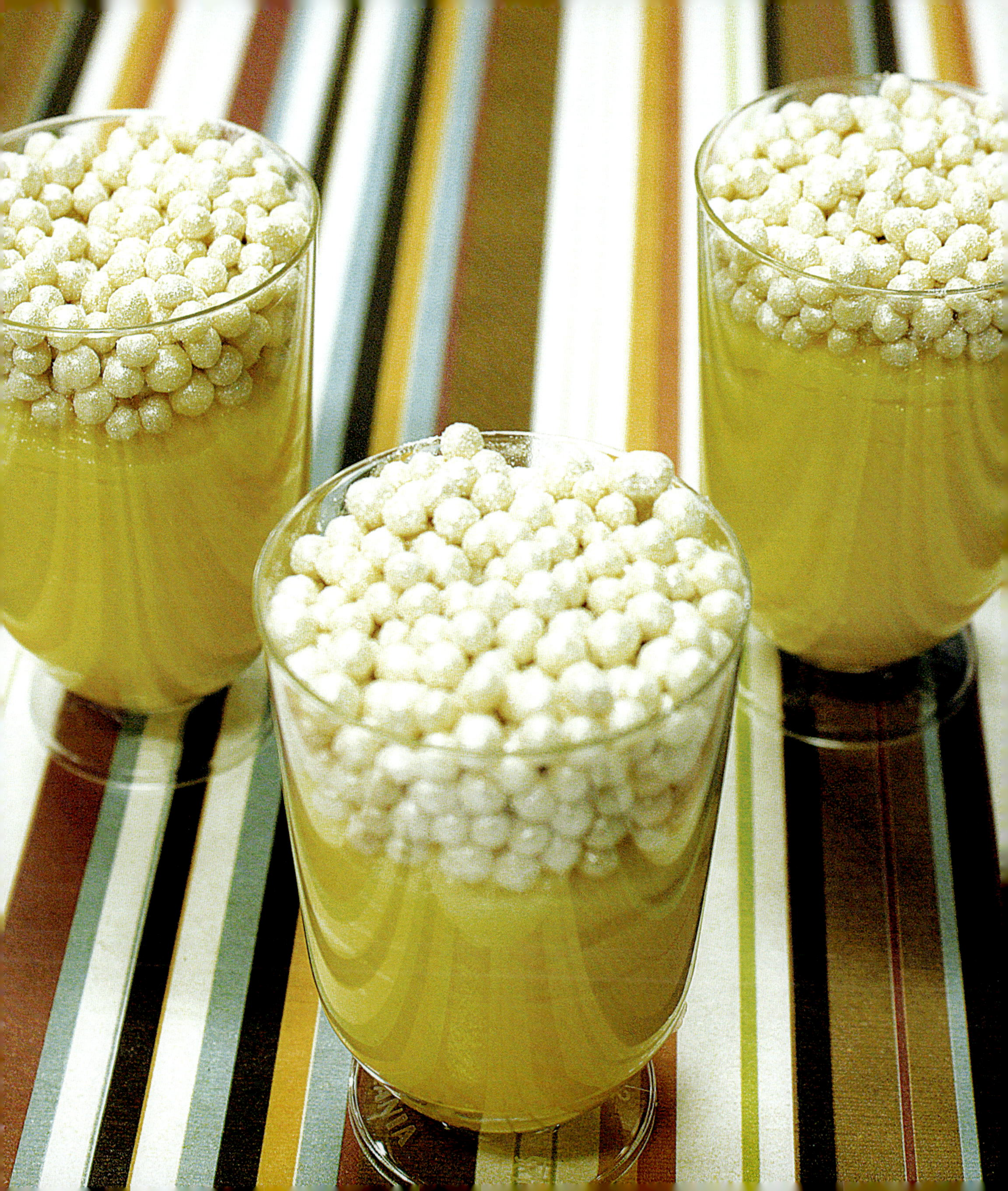

brigadeiro de conhaque

Rendimento: 25 unidades

Ingredientes
395 g de leite condensado
80 g de chocolate meio-amargo
50 ml de creme de leite
1 colher (sopa) de manteiga sem sal
100 ml de conhaque
confeitos de chocolate meio-amargo para decorar

Modo de Preparo
1. Coloque todos os ingredientes, exceto o conhaque, em uma panela de alumínio. Leve a panela ao fogo médio, mexendo sempre, até levantar fervura.
2. Acrescente o conhaque, sem parar de mexer, e deixe no fogo até a massa começar a se desprender. Retire do fogo.
3. Transfira a massa para uma tigela e leve à geladeira para esfriar.
4. Depois de fria, pegue cerca de meia colher de sobremesa de massa de brigadeiro.
5. Para facilitar o manuseio da massa, umedeça as mãos na água. Modele uma bolinha.
6. Passe a bolinha de massa pelos confeitos de chocolate meio-amargo.
7. Coloque-a em uma forminha de papel forrada com tapete de celofane transparente. Use o mesmo procedimento para as demais.

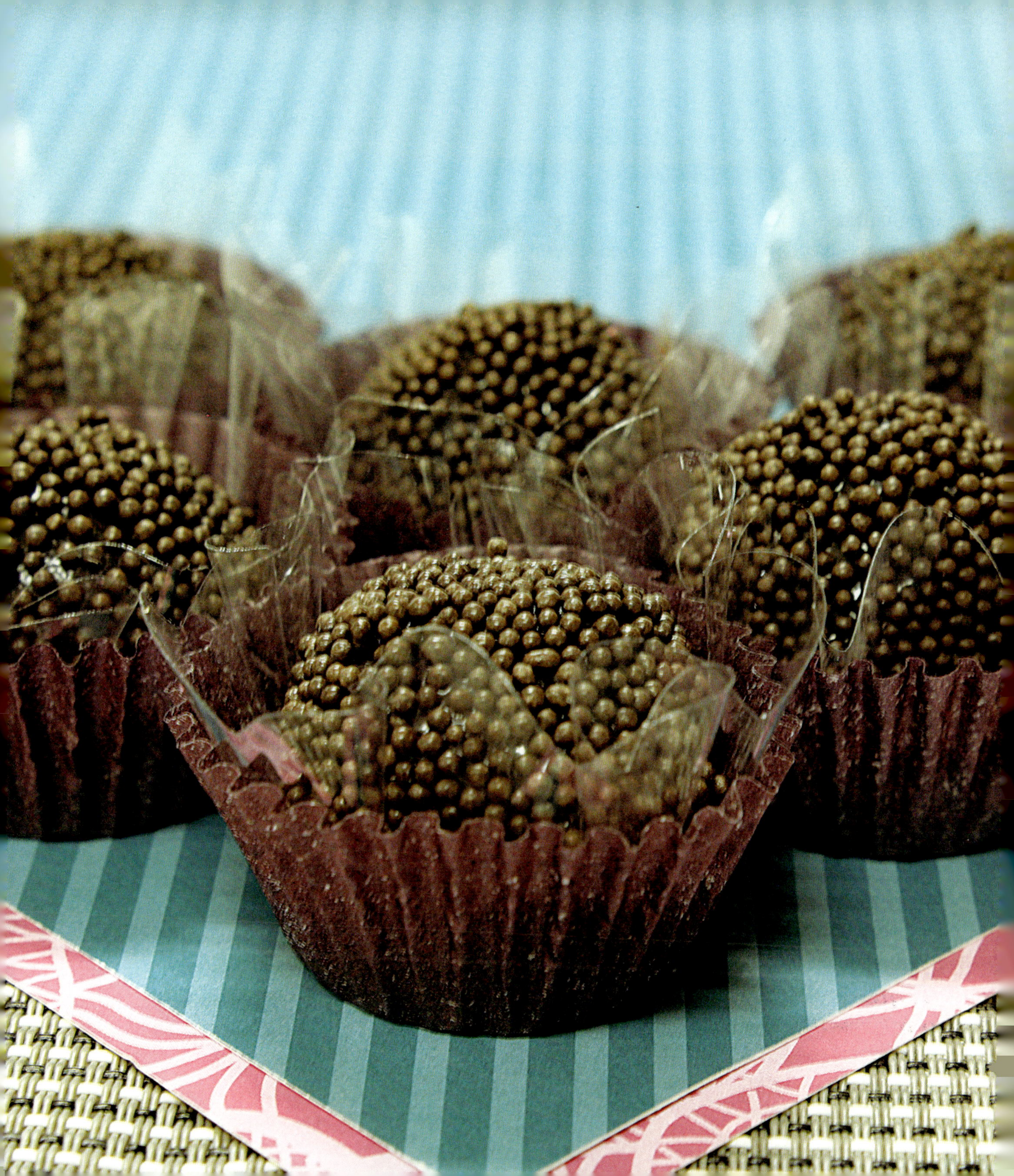

brigadeiro de passas ao rum

Rendimento: 25 unidades

Ingredientes

para a massa do brigadeiro
395 g de leite condensado
3 colheres (sopa) de chocolate em pó
50 ml de creme de leite
1 colher (sopa) de manteiga sem sal

para o recheio
100 g de uva-passa
1 xícara (chá) de rum

cacau em pó para decorar

Modo de Preparo

1. Deixe as passas de molho no rum de um dia para o outro e reserve-as para utilizá-las como recheio do brigadeiro.
2. Prepare a massa de brigadeiro: coloque o leite condensado em uma panela de alumínio, junte o chocolate em pó e misture bem.
3. Acrescente o creme de leite e a manteiga e misture até estar homogêneo. Leve a panela ao fogo médio, mexendo sempre, até a massa começar a se desprender. Retire do fogo.
4. Transfira a massa para uma tigela e leve à geladeira para esfriar.
5. Depois de fria, pegue cerca de meia colher de sobremesa de massa de brigadeiro.
6. Para facilitar o manuseio da massa, umedeça as mãos na água. Modele uma bolinha e recheie com uma uva-passa ao rum.
7. Passe a bolinha de massa pelo cacau em pó.
8. Coloque-a em uma forminha de papel forrada com tapete de celofane transparente. Use o mesmo procedimento para as demais.

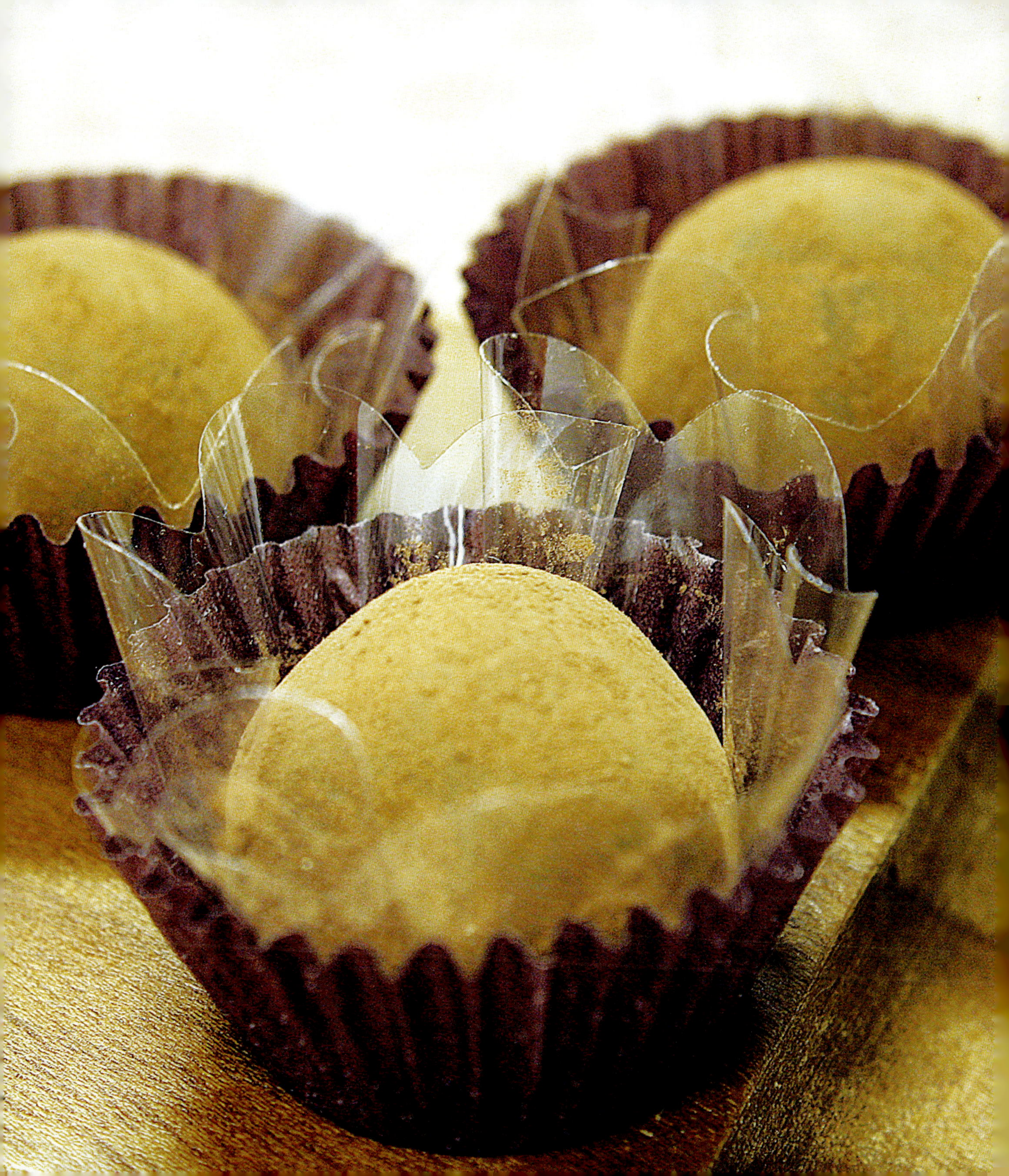

brigadeiro de saquê

Rendimento: 25 unidades

Ingredientes
395 g de leite condensado
80 g de chocolate branco
50 ml de creme de leite
1 colher (sopa) de manteiga sem sal
100 ml de saquê
confeitos de chocolate branco para decorar

Modo de Preparo
1. Coloque todos os ingredientes, exceto o saquê, em uma panela de alumínio. Leve a panela ao fogo médio, mexendo sempre, até levantar fervura.
2. Acrescente o saquê, sem parar de mexer, e deixe no fogo até a massa começar a se desprender. Retire do fogo.
3. Transfira a massa para uma tigela e leve à geladeira para esfriar.
4. Depois de fria, pegue cerca de meia colher de sobremesa de massa de brigadeiro.
5. Para facilitar o manuseio da massa, umedeça as mãos na água. Modele uma bolinha.
6. Passe a bolinha de massa pelos confeitos de chocolate branco.
7. Coloque-a em uma forminha de papel forrada com tapete de celofane transparente. Use o mesmo procedimento para as demais.

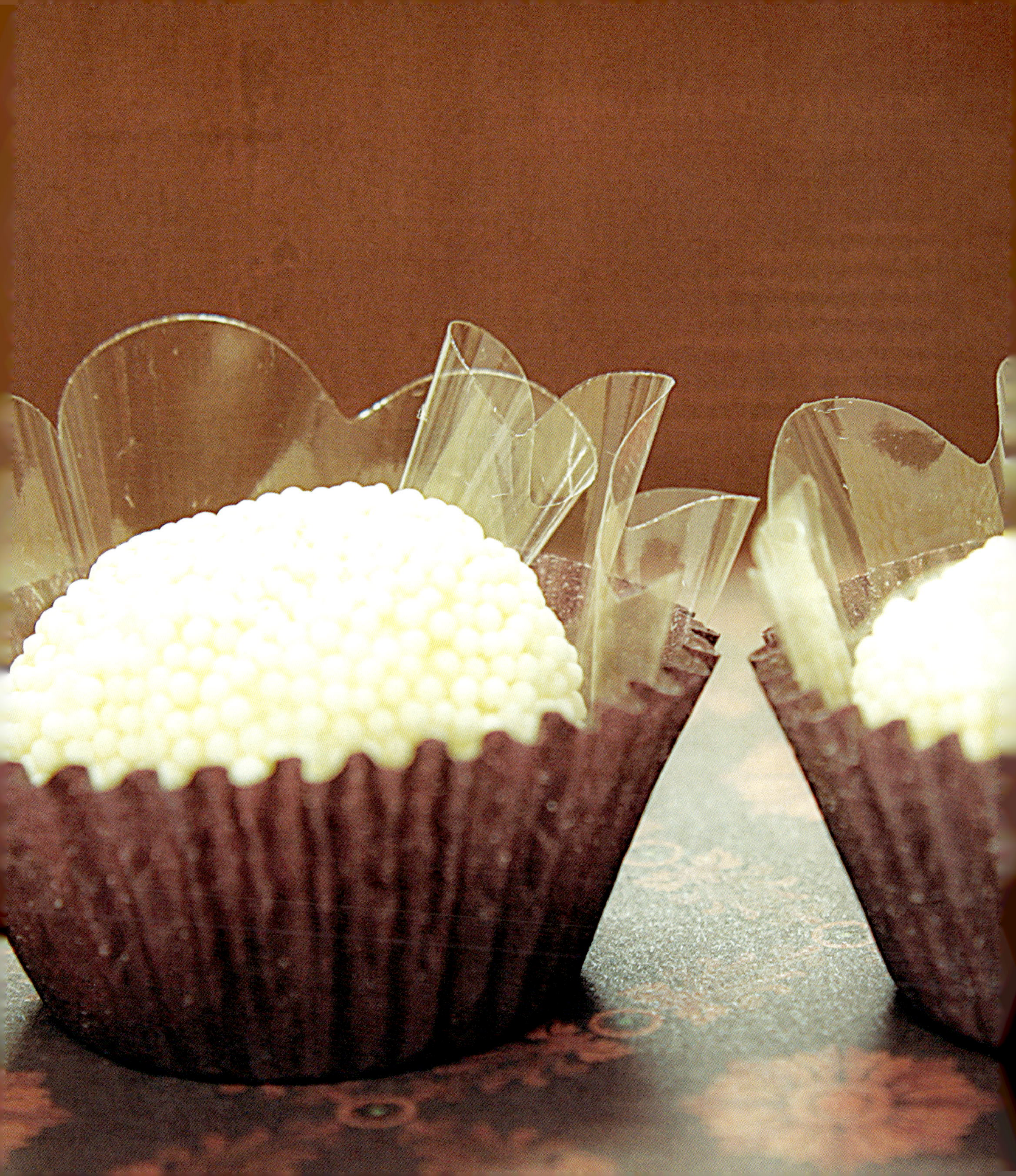

brigadeiro de tequila

Rendimento: 25 unidades

Ingredientes
395 g de leite condensado
80 g de chocolate meio-amargo
50 ml de creme de leite
1 colher (sopa) de manteiga sem sal
100 ml de tequila
raspas de chocolate branco tingido com corante
  verde para chocolate para decorar

Modo de Preparo
1. Coloque todos os ingredientes, exceto a tequila, em uma panela de alumínio. Leve a panela ao fogo médio, mexendo sempre, até levantar fervura.
2. Acrescente a tequila e deixe no fogo, sem parar de mexer, até a massa começar a se desprender. Retire do fogo.
3. Transfira a massa para uma tigela e leve à geladeira para esfriar.
4. Depois de fria, pegue cerca de meia colher de sobremesa de massa de brigadeiro.
5. Para facilitar o manuseio da massa, umedeça as mãos na água. Modele uma bolinha.
6. Passe a bolinha de massa pelas raspas de chocolate.
7. Coloque-a em uma forminha de papel forrada com tapete de celofane transparente. Use o mesmo procedimento para as demais.

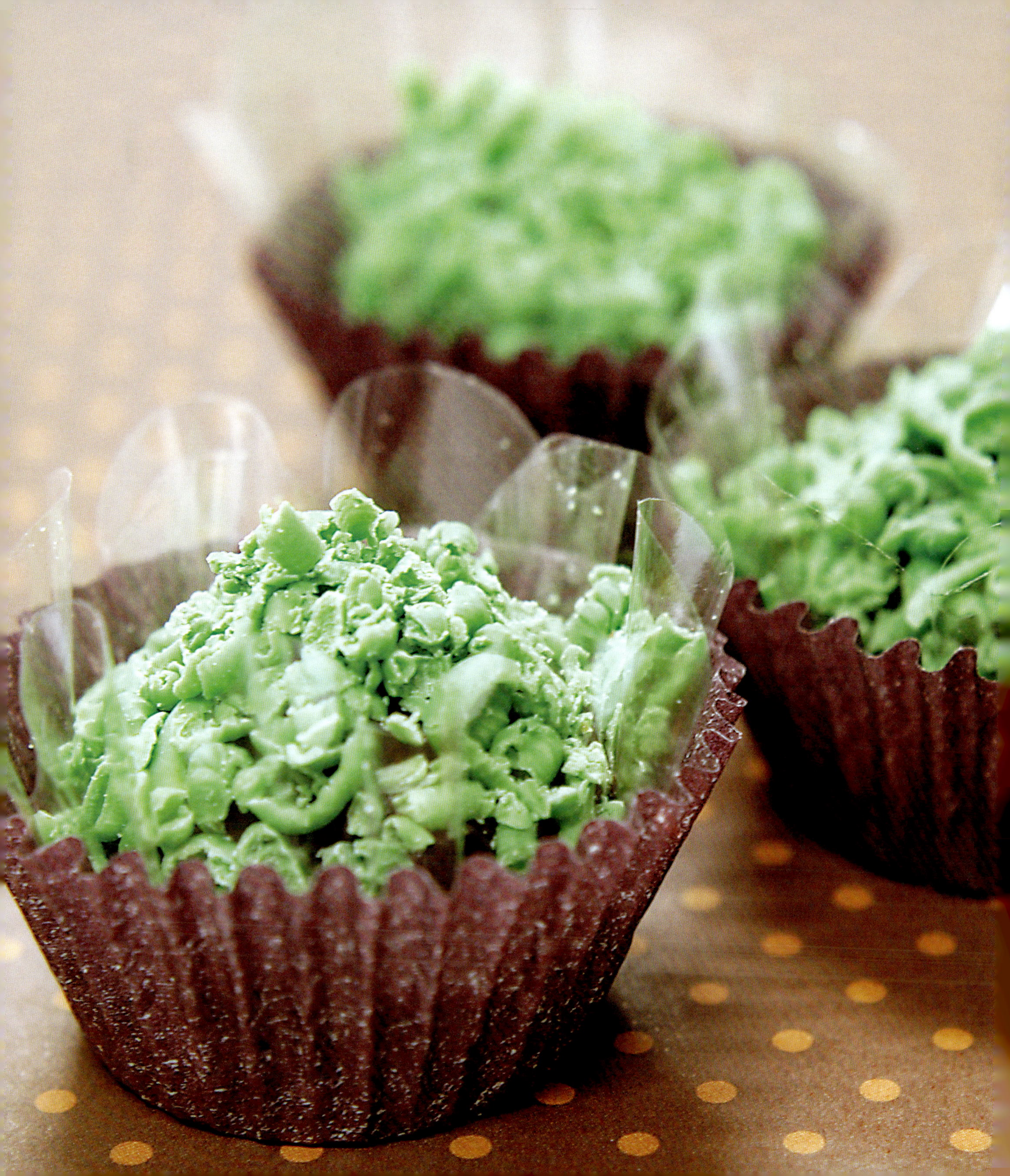

brigadeiro de vinho do porto

Rendimento: 25 unidades

Ingredientes

395 g de leite condensado
50 g de chocolate branco
1 colher (sobremesa) de manteiga sem sal
corante em gel violeta a gosto
50 ml de vinho do porto
raspas de chocolate branco tingido com corante
  violeta para chocolate para decorar

Modo de Preparo

1. Coloque todos os ingredientes, exceto o vinho, em uma panela de alumínio. Leve a panela ao fogo médio, mexendo sempre, até levantar fervura.
2. Acrescente o vinho, sem parar de mexer, e deixe no fogo até a massa começar a se desprender. Retire do fogo.
3. Transfira a massa para uma tigela e leve à geladeira para esfriar.
4. Depois de fria, pegue cerca de meia colher de sobremesa de massa de brigadeiro.
5. Para facilitar o manuseio da massa, umedeça as mãos na água. Modele uma bolinha.
6. Passe a bolinha de massa pelas raspas de chocolate.
7. Coloque-a em uma forminha de papel forrada com tapete de celofane transparente. Use o mesmo procedimento para as demais.

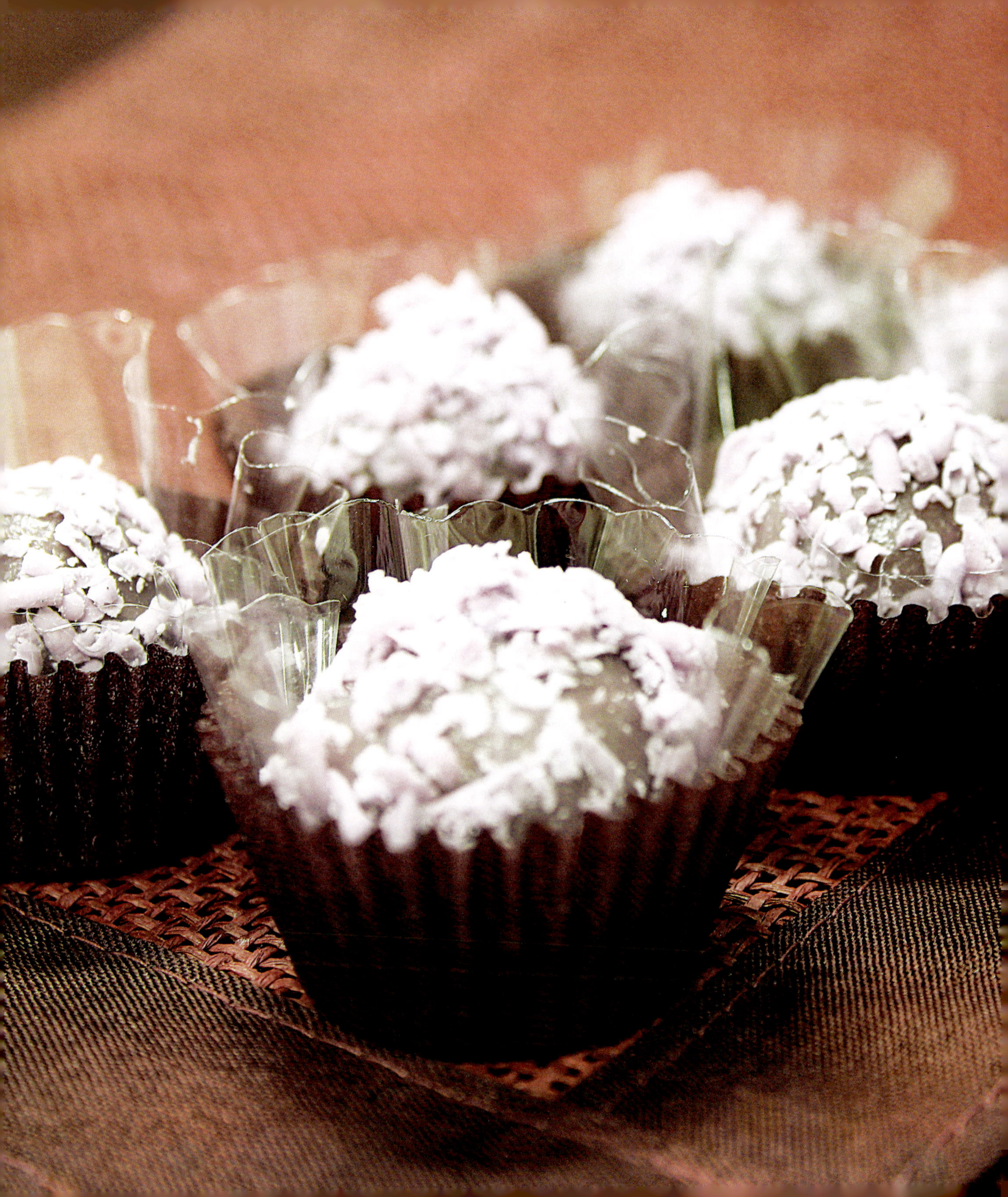

brigadeiro de uísque

Rendimento: 25 unidades

Ingredientes
395 g de leite condensado
3 colheres (sopa) de chocolate em pó
1 colher (sopa) de manteiga sem sal
1 xícara (chá) de uísque
raspas de chocolate belga mesclado para decorar

Modo de Preparo
1. Coloque o leite condensado em uma panela de alumínio, junte o chocolate em pó e misture bem. Acrescente o creme de leite e a manteiga até estar homogêneo.
2. Leve a panela ao fogo médio, mexendo sempre, até a massa começar a se desprender. Retire do fogo.
3. Acrescente o uísque e misture bem.
4. Transfira a massa para uma tigela e leve à geladeira para esfriar.
5. Depois de fria, pegue cerca de meia colher de sobremesa de massa de brigadeiro.
6. Para facilitar o manuseio da massa, umedeça as mãos na água. Modele uma bolinha.
7. Passe a bolinha de massa pelas raspas de chocolate.
8. Coloque-a em uma forminha de papel forrada com tapete de celofane transparente. Use o mesmo procedimento para as demais.

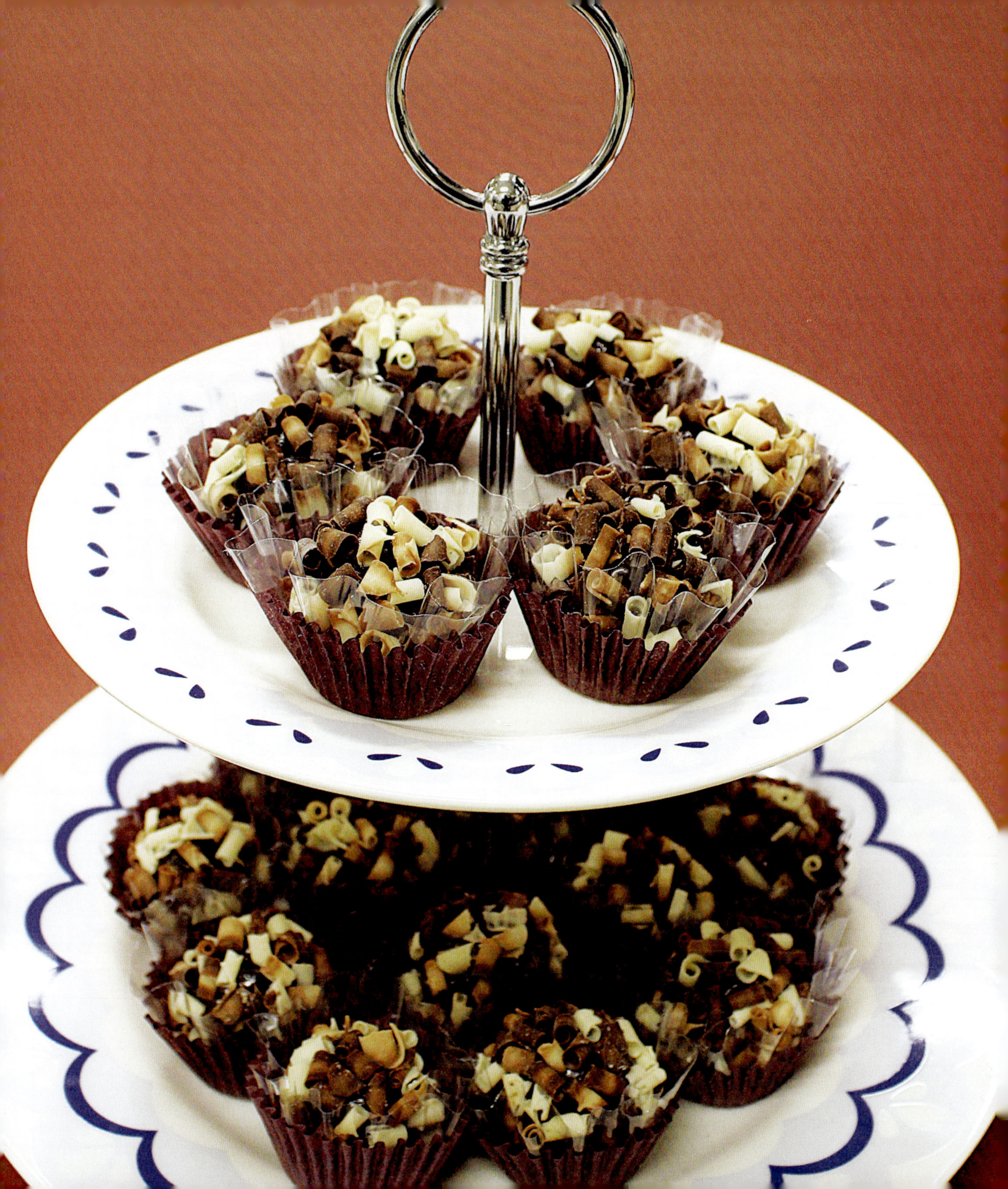

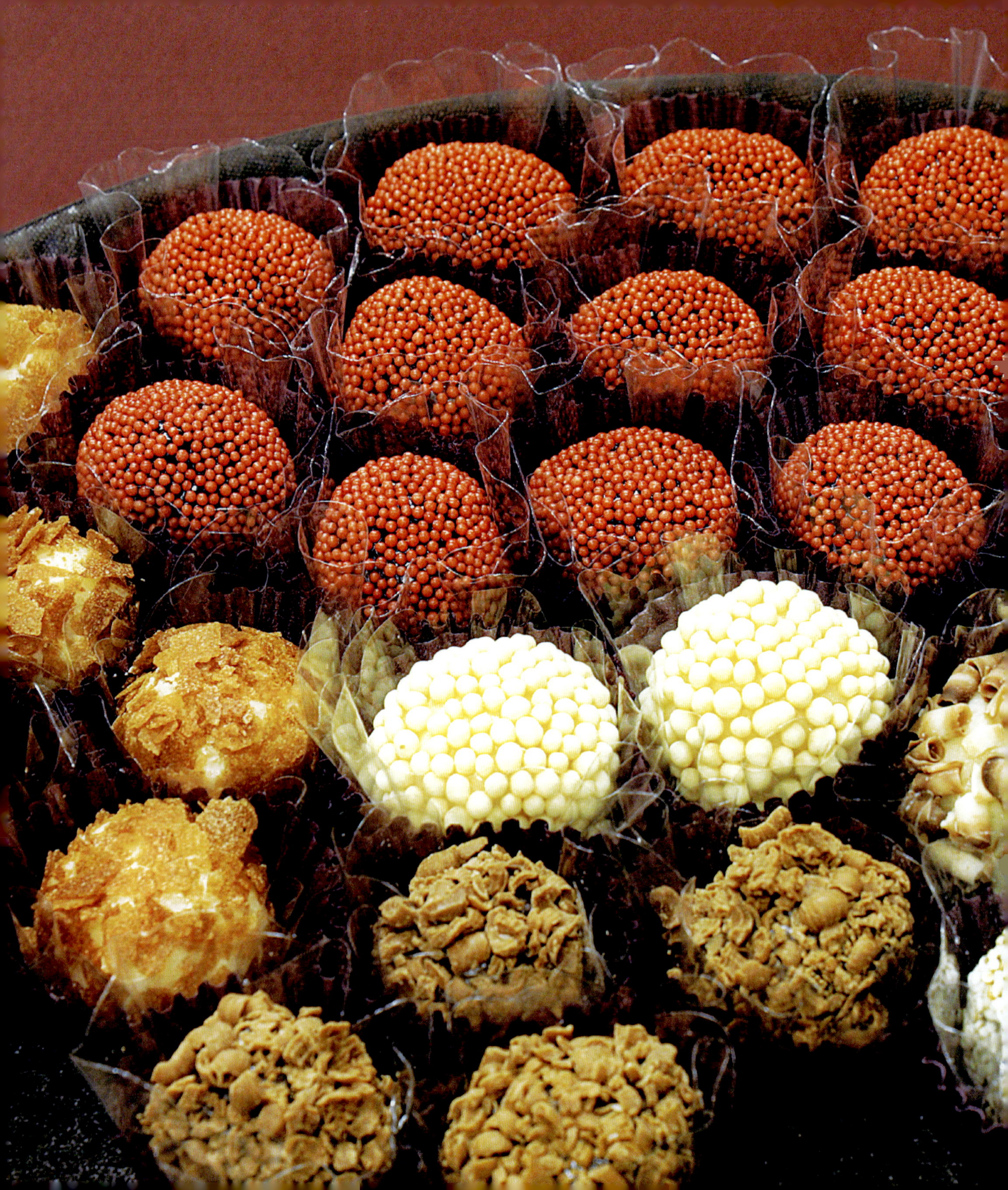

exóticos

brigadeiro de camomila

Rendimento: 25 unidades

Ingredientes

para a infusão de camomila
100 g de creme de leite
50 g de camomila

para a massa do brigadeiro
395 g de leite condensado
50 g de chocolate branco
1 colher (sopa) de manteiga sem sal

confeitos de chocolate branco para decorar

Modo de Preparo

1. Para preparar a infusão, coloque o creme de leite e a camomila em uma panela pequena e leve ao fogo para ferver. Assim que levantar fervura, retire do fogo e abafe por 5 minutos. Coe e reserve.
2. Coloque todos os ingredientes, inclusive a infusão de camomila, em uma panela de alumínio. Leve a panela ao fogo médio, mexendo sempre, até a massa começar a se desprender. Retire do fogo.
3. Transfira a massa para uma tigela e leve à geladeira para esfriar.
4. Depois de fria, pegue cerca de meia colher de sobremesa de massa de brigadeiro.
5. Para facilitar o manuseio da massa, umedeça as mãos na água. Modele uma bolinha.
6. Passe a bolinha de massa pelos confeitos de chocolate branco.
7. Coloque-a em uma forminha de papel forrada com tapete de celofane transparente. Use o mesmo procedimento para as demais.

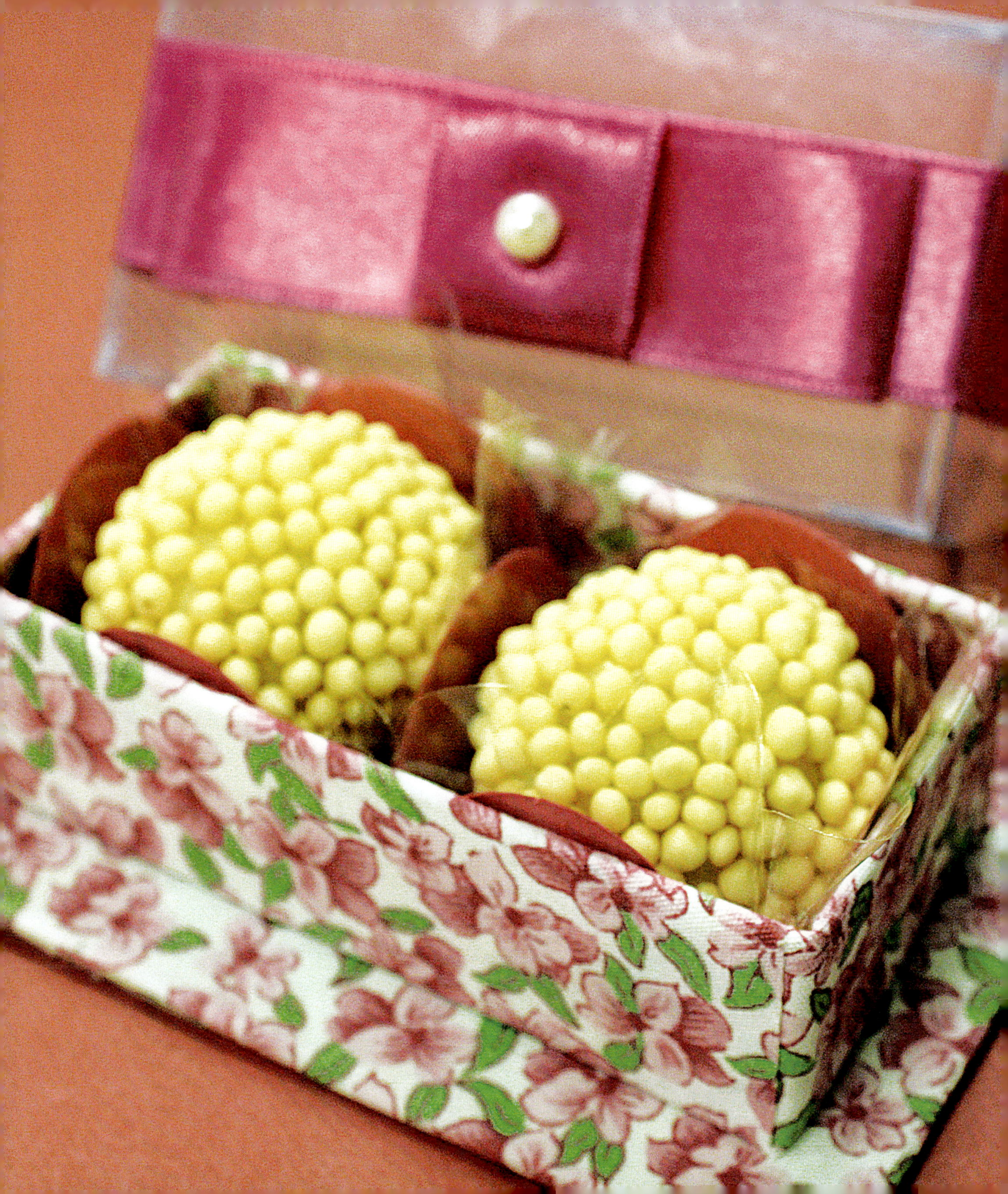

brigadeiro de chocolate com pimenta

Rendimento: 25 unidades

Ingredientes
395 g de leite condensado
3 colheres (sopa) de chocolate em pó
50 ml de creme de leite
1 colher (sopa) de manteiga sem sal
1 xícara (chá) de geleia de pimenta
confeitos vermelhos para decorar

Modo de Preparo
1. Coloque o leite condensado em uma panela de alumínio, junte o chocolate em pó e misture bem. Acrescente o creme de leite, a manteiga e a geleia de pimenta e misture até estar homogêneo.
2. Leve a panela ao fogo médio, mexendo sempre, até a massa começar a se desprender. Retire do fogo.
3. Transfira a massa para uma tigela e leve à geladeira para esfriar.
4. Depois de fria, pegue cerca de meia colher de sobremesa de massa de brigadeiro.
5. Para facilitar o manuseio da massa, umedeça as mãos na água. Modele uma bolinha.
6. Passe a bolinha de massa pelos confeitos vermelhos.
7. Coloque-a em uma forminha de papel forrada com tapete de celofane transparente. Use o mesmo procedimento para as demais.

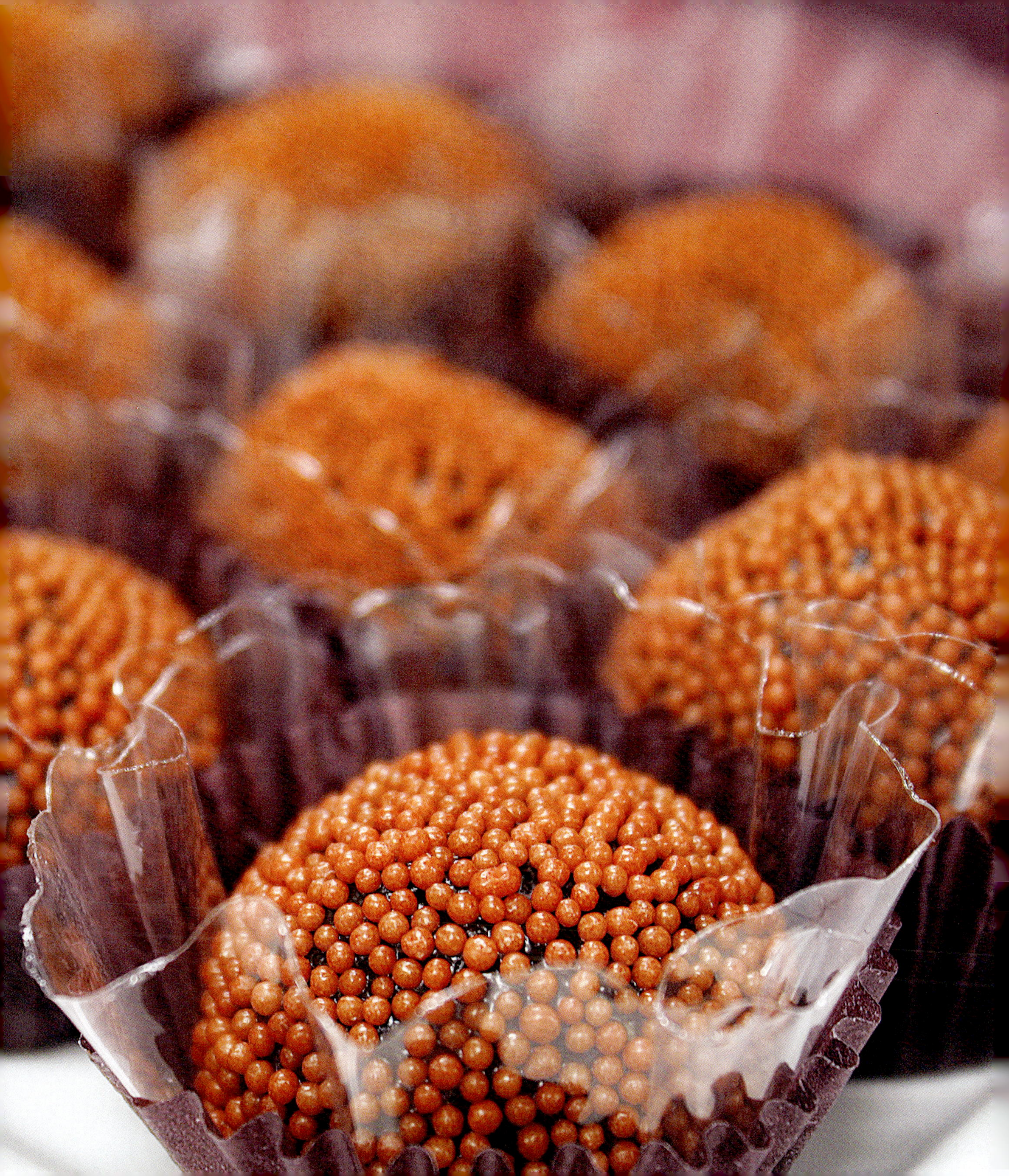

brigadeiro de erva-cidreira

Rendimento: 25 unidades

Ingredientes
para o chá
3 sachês de chá de erva-cidreira
1 xícara (chá) de água

para a massa do brigadeiro
395 g de leite condensado
50 g de chocolate branco
50 g de creme de leite
1 colher (sopa) de manteiga sem sal

raspas mescladas de chocolate belga para decorar

Modo de Preparo
1. Prepare o chá de erva-cidreira e deixe esfriar.
2. Coloque todos os ingredientes, inclusive o chá frio, em uma panela de alumínio. Leve a panela ao fogo médio, mexendo sempre, até a massa começar a se desprender. Retire do fogo.
3. Transfira a massa para uma tigela e leve à geladeira para esfriar.
4. Depois de fria, pegue cerca de meia colher de sobremesa de massa de brigadeiro.
5. Para facilitar o manuseio da massa, umedeça as mãos na água. Modele uma bolinha.
6. Passe a bolinha de massa pelas raspas mescladas de chocolate belga.
7. Coloque-a em uma forminha de papel forrada com tapete de celofane transparente. Use o mesmo procedimento para as demais.

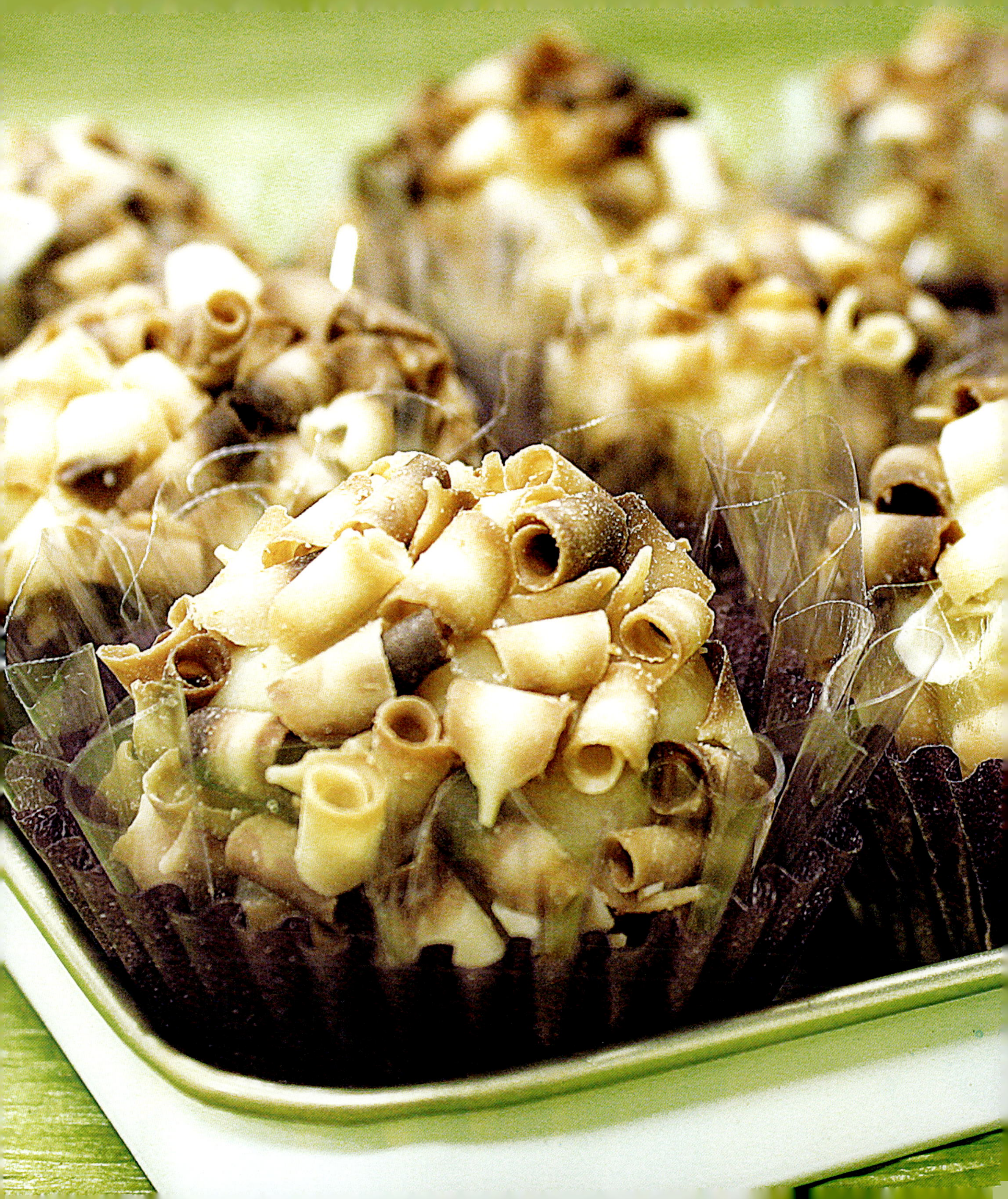

brigadeiro de gengibre

Rendimento: 25 unidades

Ingredientes
2 colheres (sopa) de gengibre fresco ralado
100 g de creme de leite fresco
395 g de leite condensado
1 colher (sopa) de manteiga sem sal
raspas de massa folhada para decorar

Modo de Preparo
1. Em uma panela de alumínio, coloque o gengibre e o creme de leite fresco e misture bem. Leve ao fogo médio e deixe ferver por 1 minuto. Retire do fogo e coe.
2. Volte a parte líquida para a panela e adicione o leite condensado e a manteiga.
3. Misture bem e leve a panela ao fogo baixo, mexendo sempre, até a massa começar a se desprender. Retire do fogo.
4. Transfira a massa para uma tigela e leve à geladeira para esfriar.
5. Depois de fria, pegue cerca de meia colher de sobremesa de massa de brigadeiro.
6. Para facilitar o manuseio da massa, umedeça as mãos na água. Modele uma bolinha.
7. Passe a bolinha de massa pelas raspas de massa folhada.
8. Coloque-a em uma forminha de papel forrada com tapete de celofane transparente. Use o mesmo procedimento para as demais.

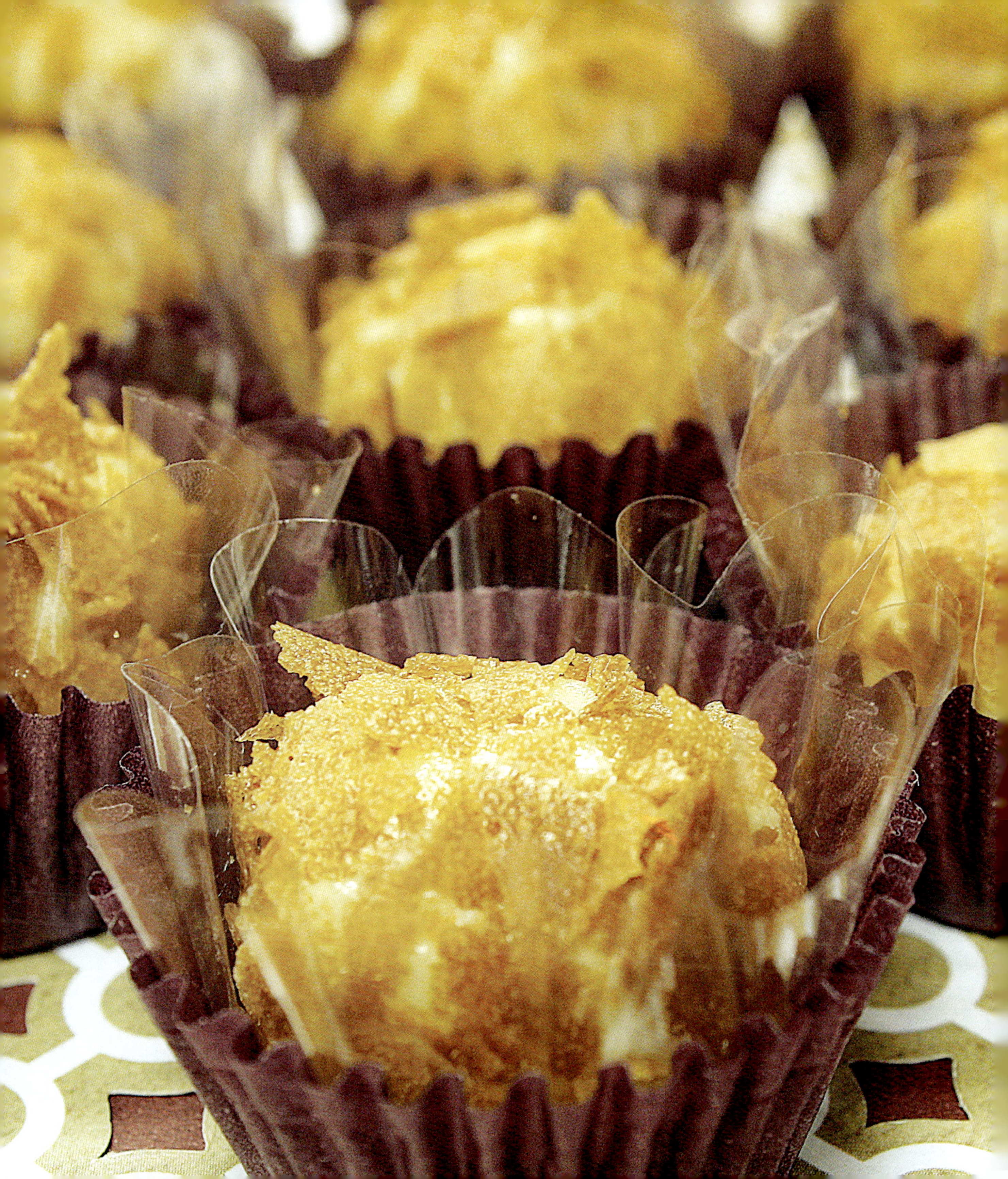

brigadeiro de gergelim

Rendimento: 25 unidades

Ingredientes
395 g de leite condensado
3 colheres (sopa) de chocolate em pó
50 ml de creme de leite
1 colher (sopa) de manteiga sem sal
gergelim torrado para decorar

Modo de Preparo
1. Coloque o leite condensado em uma panela de alumínio, junte o chocolate em pó e misture bem. Acrescente o creme de leite e a manteiga e misture até estar homogêneo.
2. Leve a panela ao fogo médio, mexendo sempre, até a massa começar a se desprender. Retire do fogo.
3. Transfira a massa para uma tigela e leve à geladeira para esfriar.
4. Depois de fria, pegue cerca de meia colher de sobremesa de massa de brigadeiro.
5. Para facilitar o manuseio da massa, umedeça as mãos na água. Modele uma bolinha.
6. Passe a bolinha de massa pelo gergelim, que deve ser torrado na hora em que for usar.
7. Coloque-a em uma forminha de papel forrada com tapete de celofane transparente.
Use o mesmo procedimento para as demais.

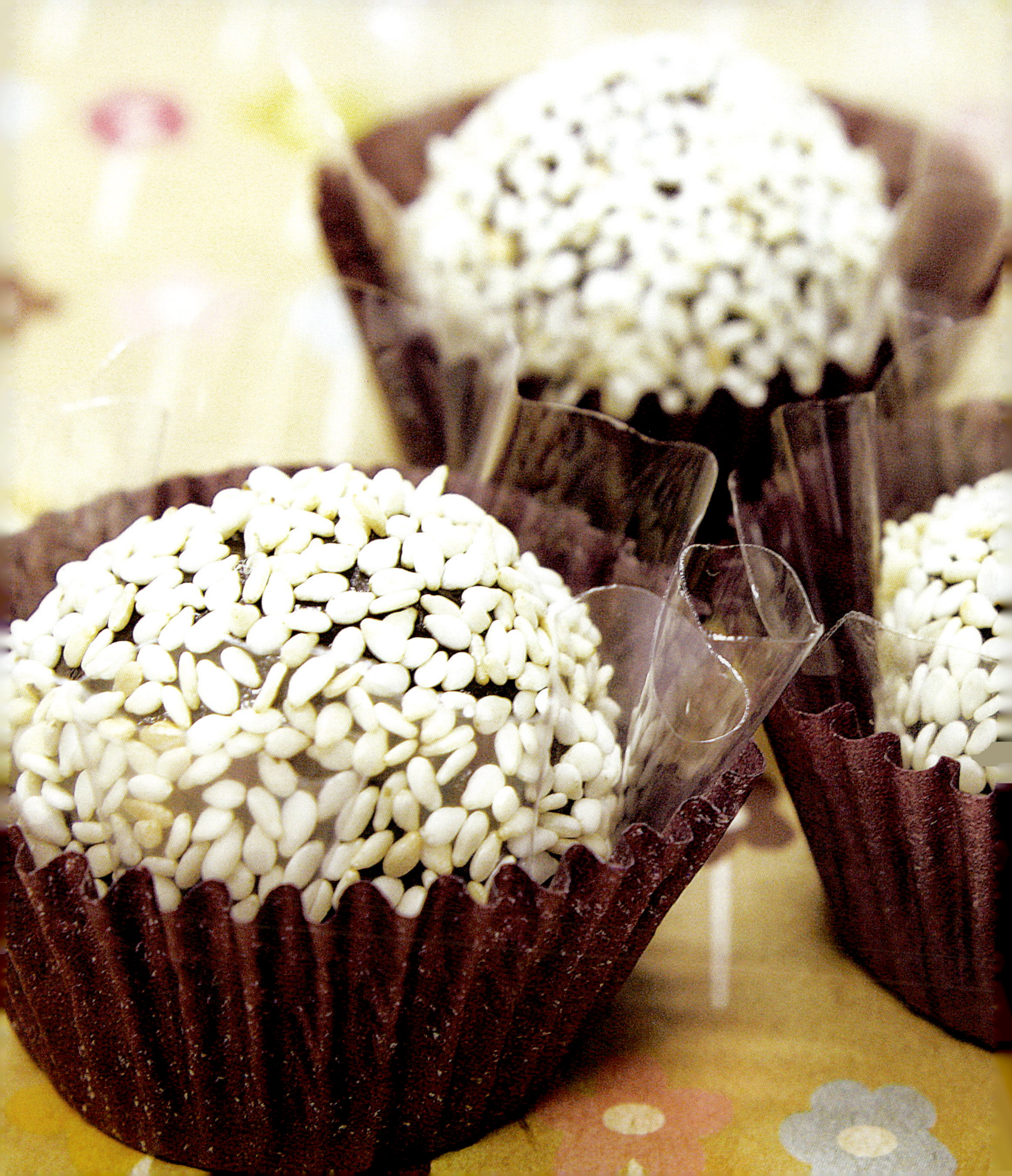

brigadeiro de mel

Rendimento: 25 unidades

Ingredientes

395 g de leite condensado
2 colheres (sopa) de chocolate em pó
80 g de creme de leite
1 colher (sopa) de manteiga sem sal
60 g de mel claro
raspas de chocolate ao leite aromatizado
   sabor caramelo para decorar

Modo de Preparo

1. Coloque o leite condensado em uma panela de alumínio, junte o chocolate em pó e misture bem. Acrescente o creme de leite, a manteiga e o mel e misture até estar homogêneo.
2. Leve a panela ao fogo médio, mexendo sempre, até a massa começar a se desprender. Retire do fogo.
3. Transfira a massa para uma tigela e leve à geladeira para esfriar.
4. Depois de fria, pegue cerca de meia colher de sobremesa de massa de brigadeiro.
5. Para facilitar o manuseio da massa, umedeça as mãos na água. Modele uma bolinha.
6. Passe a bolinha de massa pelas raspas de chocolate ao leite aromatizado de caramelo.
7. Coloque-a em uma forminha de papel forrada com tapete de celofane transparente.

Use o mesmo procedimento para as demais.

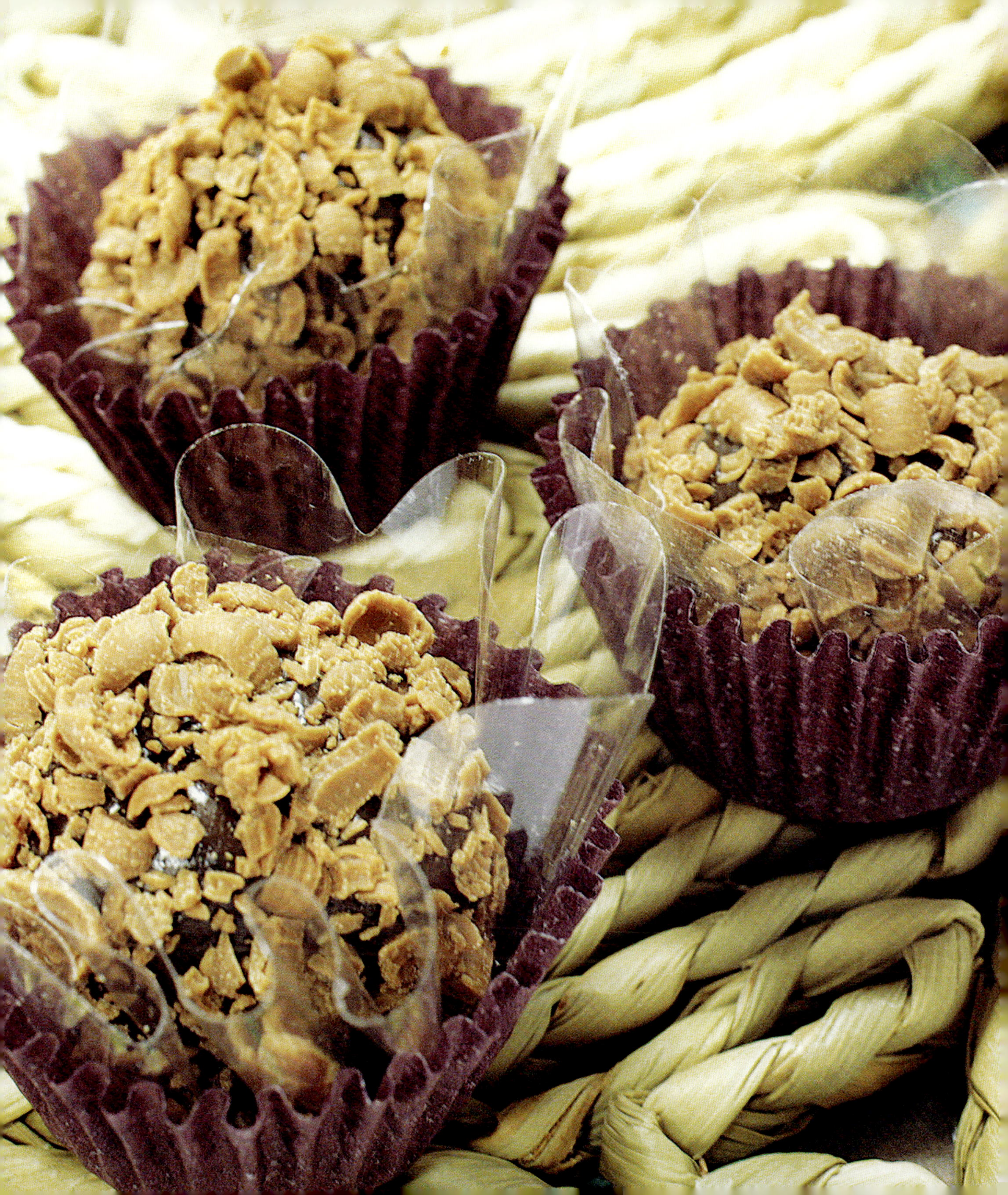

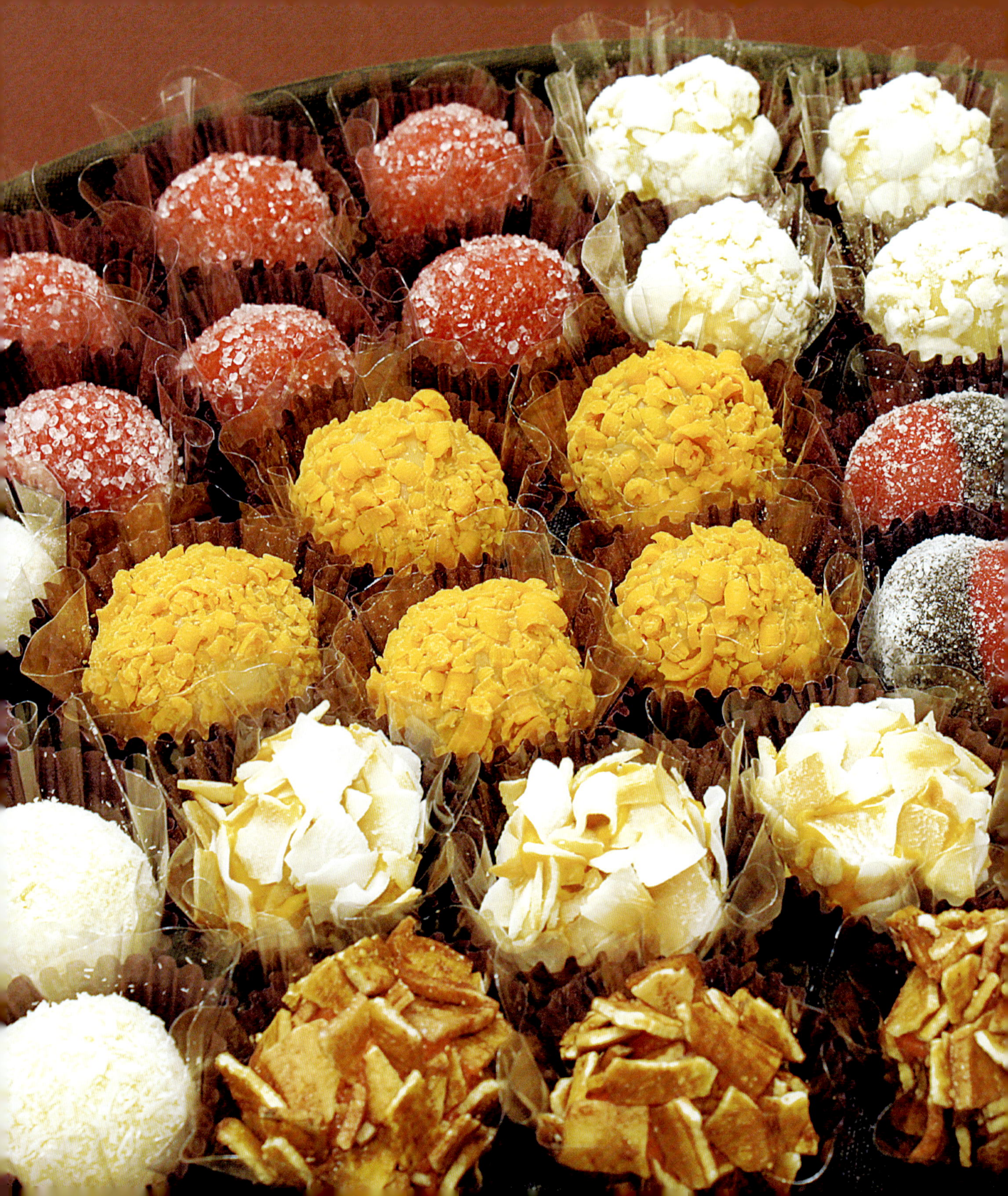

frutas

brigadeiro de abóbora com coco

Rendimento: 25 unidades

Ingredientes
395 g de leite condensado
80 g de chocolate branco
50 ml de creme de leite
1 colher (sopa) de manteiga sem sal
100 g de purê de abóbora japonesa cozida com pouco açúcar
coco em fita torrado para decorar

Modo de Preparo
1. Coloque todos os ingredientes em uma panela de alumínio. Leve a panela ao fogo médio, mexendo sempre, até a massa começar a se desprender. Retire do fogo.
2. Transfira a massa para uma tigela e leve à geladeira para esfriar.
3. Depois de fria, pegue cerca de meia colher de sobremesa de massa de brigadeiro.
4. Para facilitar o manuseio da massa, umedeça as mãos na água. Modele uma bolinha.
5. Passe a bolinha de massa pelo coco em fita torrado.
6. Coloque-a em uma forminha de papel forrada com tapete de celofane transparente. Use o mesmo procedimento para as demais.

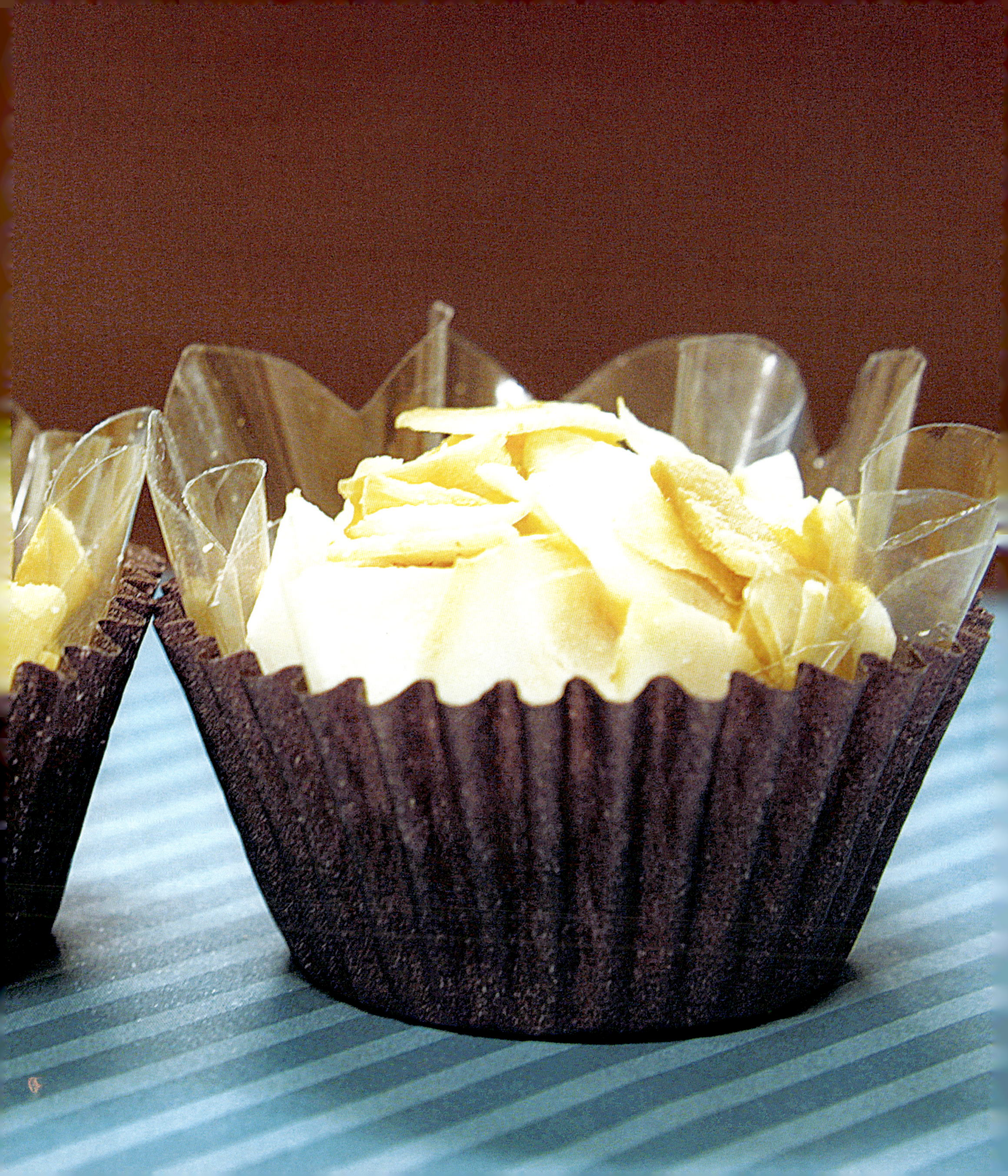

brigadeiro de amora

Rendimento: 25 unidades

Ingredientes

395 g de leite condensado
1 colher (sopa) de chocolate em pó
50 g de chocolate meio-amargo
50 ml de creme de leite
1 colher (sopa) de manteiga sem sal
2 colheres (sopa) de geleia de amora
raspas de chocolate branco tingido com corante
   rosa para chocolate para decorar

Modo de Preparo

1. Coloque o leite condensado em uma panela de alumínio, junte o chocolate em pó e misture bem. Acrescente o chocolate meio-amargo, o creme de leite, a manteiga e a geleia de amora e misture até estar homogêneo.
2. Leve a panela ao fogo médio, mexendo sempre, até a massa começar a se desprender. Retire do fogo.
3. Transfira a massa para uma tigela e leve à geladeira para esfriar.
4. Depois de fria, pegue cerca de meia colher de sobremesa de massa de brigadeiro.
5. Para facilitar o manuseio da massa, umedeça as mãos na água. Modele uma bolinha.
6. Passe a bolinha de massa pelas raspas de chocolate.
7. Coloque-a em uma forminha de papel forrada com tapete de celofane transparente. Use o mesmo procedimento para as demais.

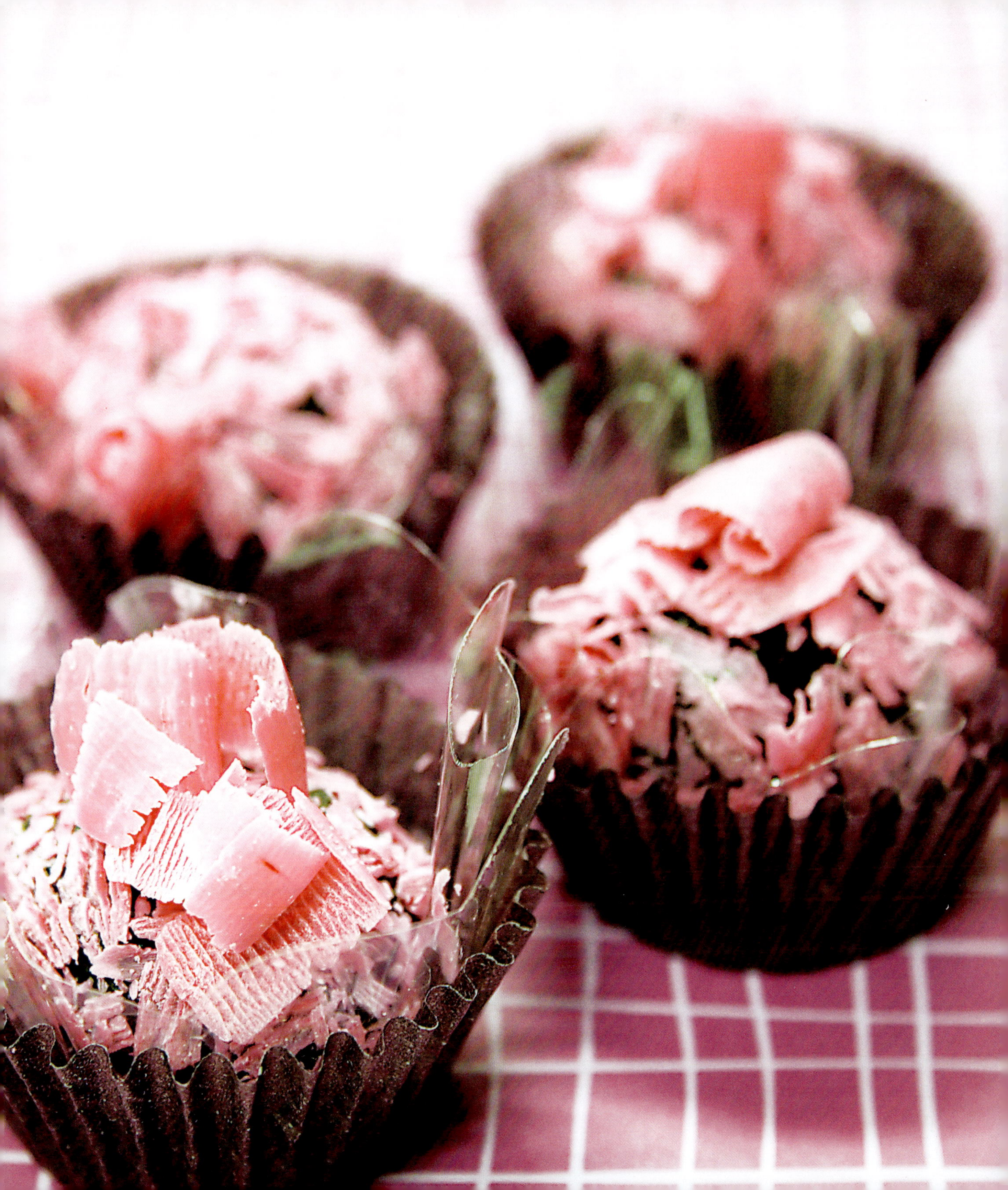

brigadeiro de amora com chocolate

Rendimento: 25 unidades

Ingredientes

para o brigadeiro de amora
395 g de leite condensado
80 g de chocolate branco
50 ml de creme de leite
1 colher (sopa) de manteiga sem sal
1 colher (sopa) de pasta de amora

para o brigadeiro de chocolate
395 g de leite condensado
1 colher (sopa) de chocolate em pó
70 g de chocolate ao leite
50 ml de creme de leite
1 colher (sopa) de manteiga sem sal

açúcar refinado para decorar

Modo de Preparo

1. Para preparar o brigadeiro de amora, coloque todos os ingredientes em uma panela de alumínio.
2. Leve a panela ao fogo médio, mexendo sempre, até a massa começar a se desprender. Retire do fogo.
3. Transfira a massa para uma tigela e leve à geladeira para esfriar.
4. Prepare o brigadeiro de chocolate: coloque o leite condensado em uma panela de alumínio, junte o chocolate em pó e misture bem. Acrescente o chocolate ao leite, o creme de leite e a manteiga e misture até estar homogêneo.
5. Leve a panela ao fogo médio, mexendo sempre, até a massa começar a se desprender. Retire do fogo.
6. Transfira a massa para uma tigela e leve à geladeira para esfriar.
7. Depois que as duas massas estiverem frias, umedeça as mãos na água, pegue um pouco de cada massa e modele uma bolinha bicolor.
8. Passe a bolinha de massa pelo açúcar refinado.
9. Coloque-a em uma forminha de papel forrada com tapete de celofane transparente. Use o mesmo procedimento para as demais.

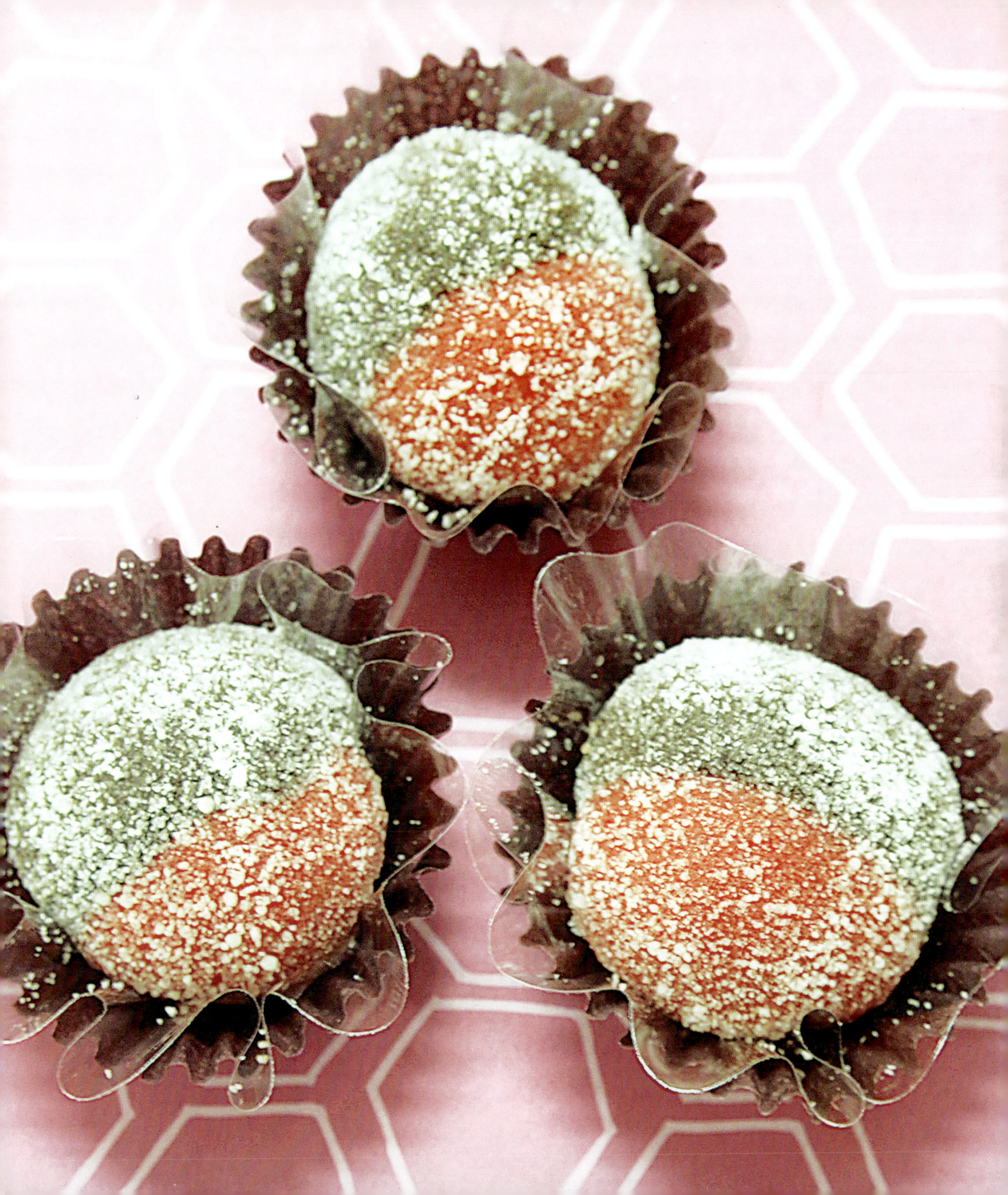

brigadeiro de banana

Rendimento: 25 unidades

Ingredientes
395 g de leite condensado
80 g de chocolate branco
50 ml de creme de leite
1 colher (sopa) de manteiga sem sal
100 g de doce de banana
1 colher (sobremesa) de pó para sorvete sabor banana
chips de banana quebrados para decorar

Modo de Preparo
1. Coloque todos os ingredientes em uma panela de alumínio. Leve a panela ao fogo médio, mexendo sempre, até a massa começar a se desprender. Retire do fogo.
2. Transfira a massa para uma tigela e leve à geladeira para esfriar.
3. Depois de fria, pegue cerca de meia colher de sobremesa de massa de brigadeiro.
4. Para facilitar o manuseio da massa, umedeça as mãos na água. Modele uma bolinha.
5. Passe a bolinha de massa pelos chips de banana quebrados.
6. Coloque-a em uma forminha de papel forrada com tapete de celofane transparente. Use o mesmo procedimento para as demais.

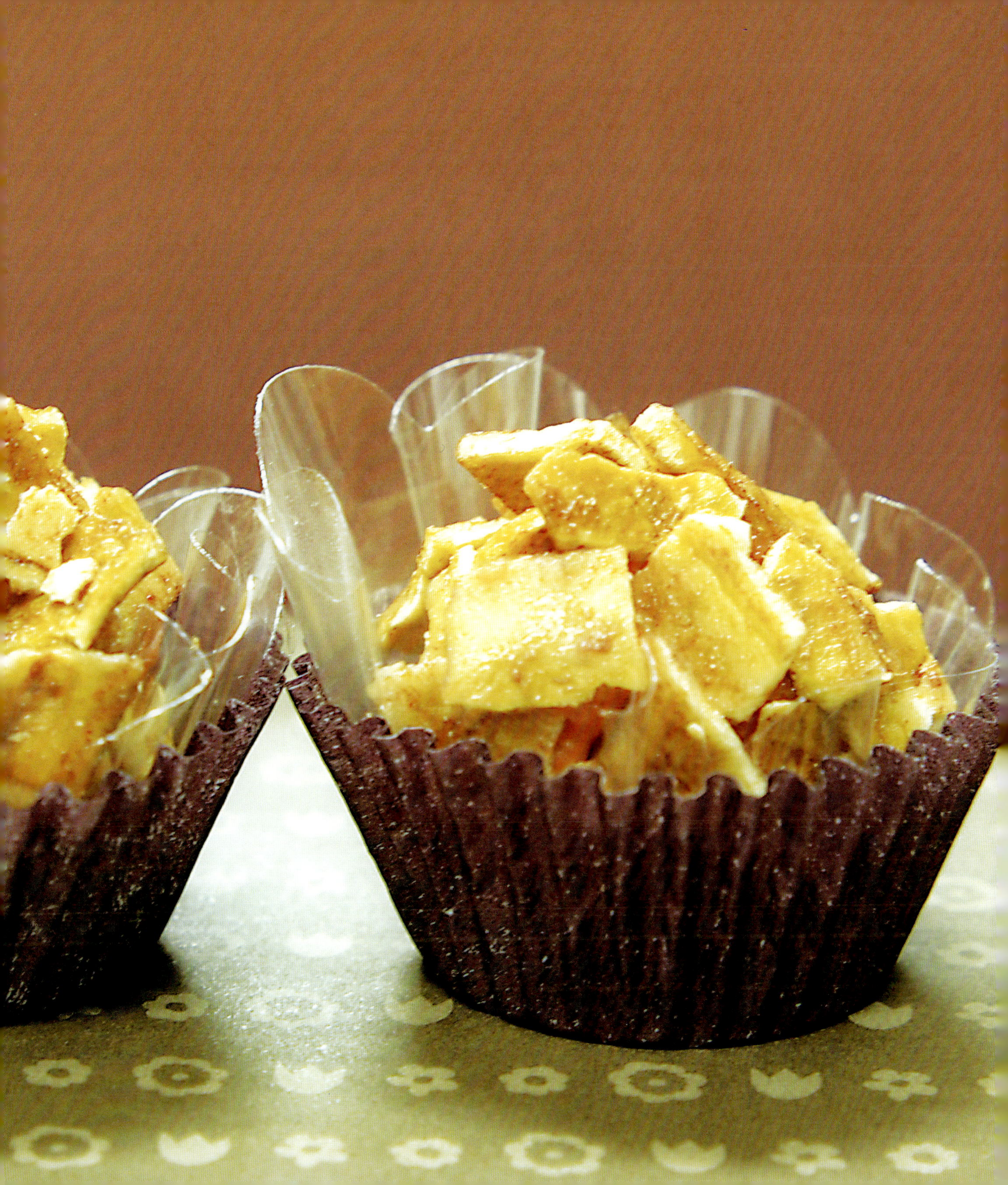

brigadeiro de cereja

Rendimento: 25 unidades

Ingredientes
395 g de leite condensado
3 colheres (sopa) de chocolate em pó
50 ml de creme de leite
1 colher (sopa) de manteiga sem sal
200 g de cereja maraschino escorrida para rechear
açúcar cristal vermelho para decorar
cereja ao marasquino picada para decorar

Modo de Preparo
1. Coloque o leite condensado em uma panela de alumínio, junte o chocolate em pó e misture bem. Acrescente o creme de leite e a manteiga e misture até estar homogêneo.
2. Leve a panela ao fogo médio, mexendo sempre, até a massa começar a se desprender. Retire do fogo.
3. Transfira a massa para uma tigela e leve à geladeira para esfriar.
4. Depois de fria, pegue cerca de meia colher de sobremesa de massa de brigadeiro.
5. Para facilitar o manuseio da massa, umedeça as mãos na água. Modele uma bolinha recheada com uma cereja inteira.
6. Passe a bolinha de massa pelo açúcar cristal vermelho e decore com um pedaço de cereja.
7. Coloque-a em uma forminha de papel forrada com tapete de celofane transparente. Use o mesmo procedimento para as demais.

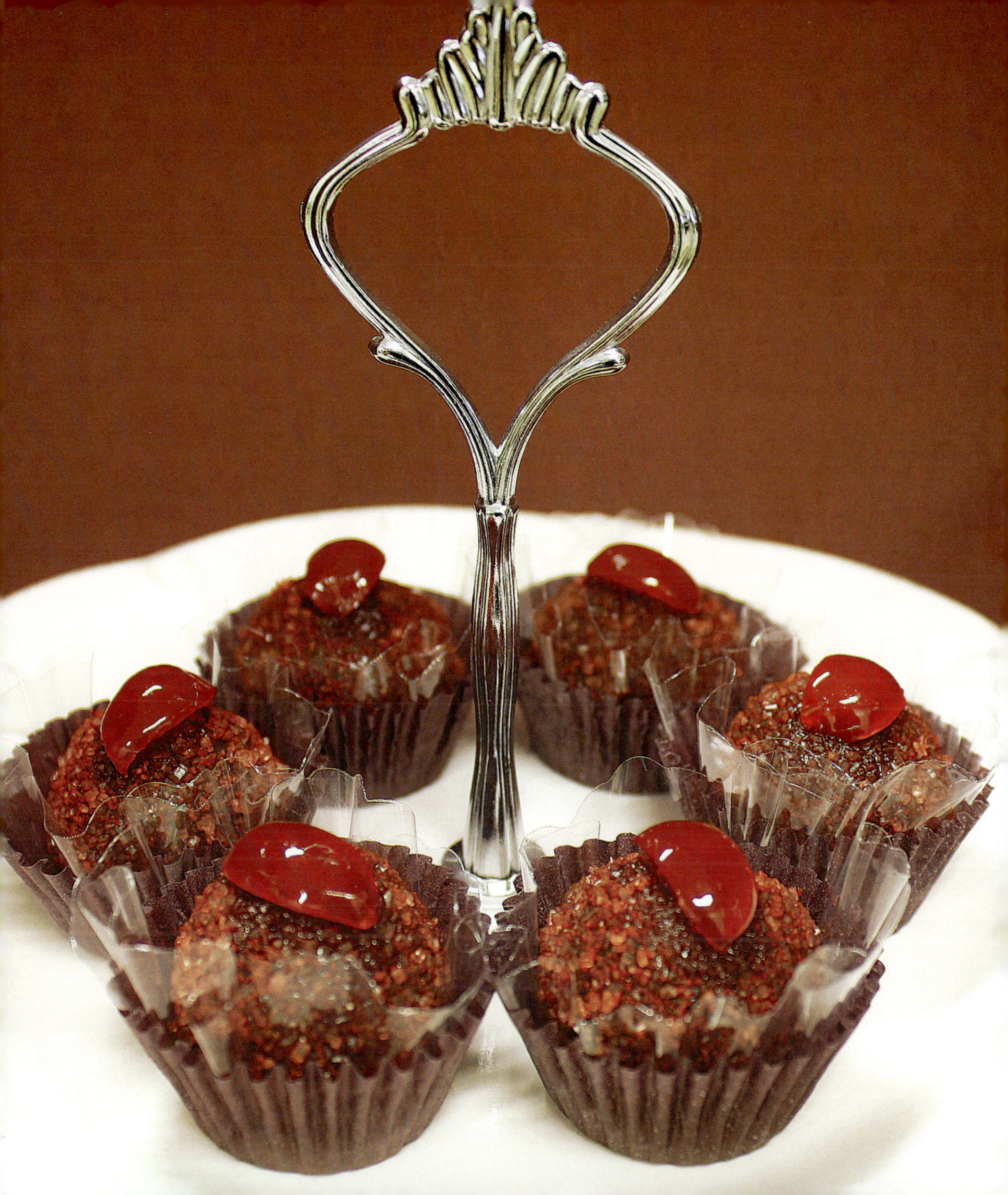

brigadeiro de coco

Rendimento: 25 unidades

Ingredientes
395 g de leite condensado
50 g de chocolate branco
70 ml de leite de coco
1 colher (sopa) de manteiga sem sal
100 g de coco ralado
coco ralado para decorar

Modo de Preparo
1. Coloque todos os ingredientes em uma panela de alumínio. Leve a panela ao fogo médio, mexendo sempre, até a massa começar a se desprender. Retire do fogo.
2. Transfira a massa para uma tigela e leve à geladeira para esfriar.
3. Depois de fria, pegue cerca de meia colher de sobremesa de massa de brigadeiro.
4. Para facilitar o manuseio da massa, umedeça as mãos na água. Modele uma bolinha.
5. Passe a bolinha de massa pelo coco ralado.
6. Coloque-a em uma forminha de papel forrada com tapete de celofane transparente. Use o mesmo procedimento para as demais.

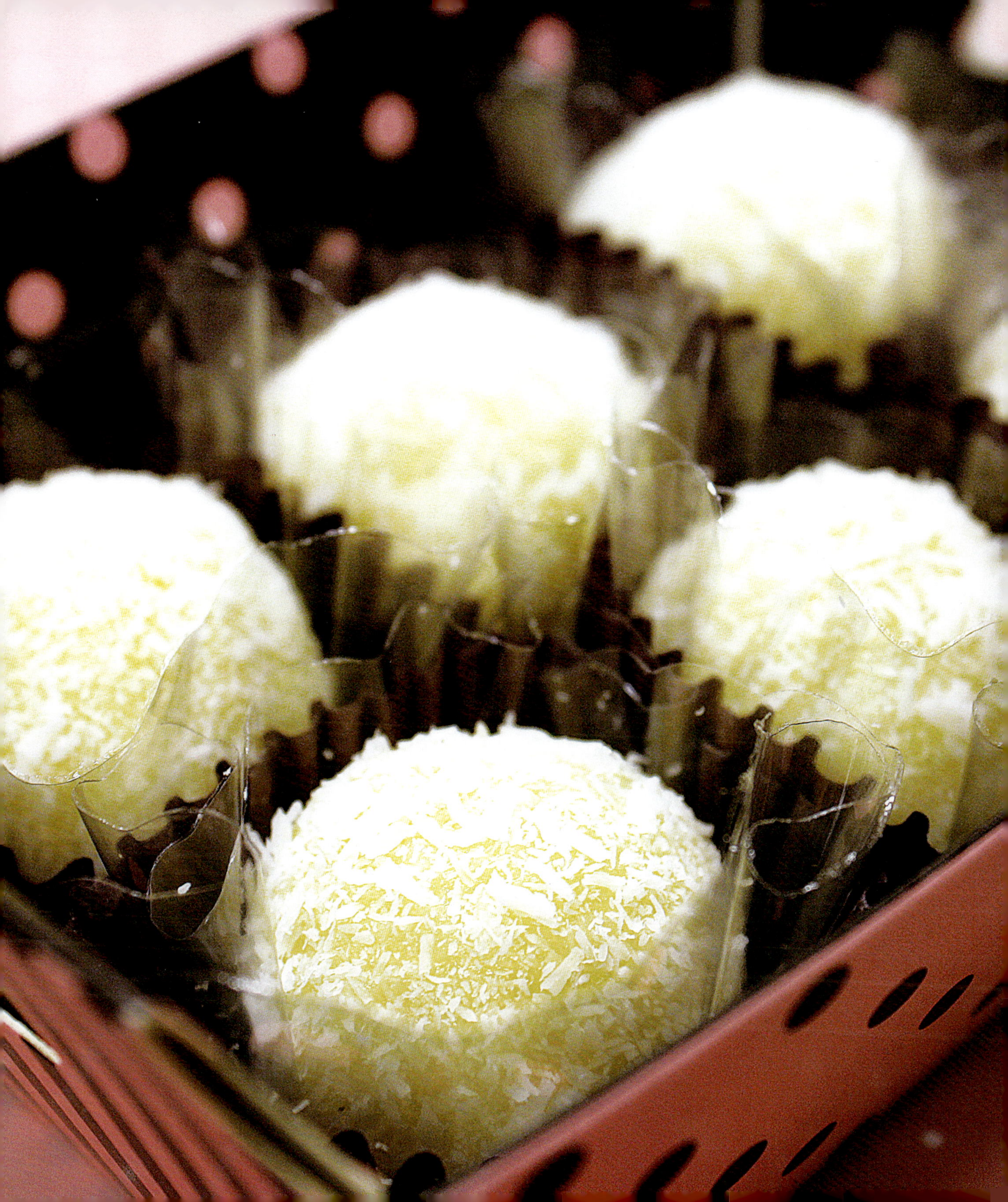

brigadeiro de framboesa

Rendimento: 25 unidades

Ingredientes
395 g de leite condensado
70 g de chocolate branco
100 ml de creme de leite
1 colher (sopa) de manteiga sem sal
1 colher (sopa) de pasta de framboesa
confeitos prateados para decorar

Modo de Preparo
1. Coloque todos os ingredientes em uma panela de alumínio. Leve a panela ao fogo médio, mexendo sempre, até a massa começar a se desprender. Retire do fogo.
2. Com a massa ainda quente, distribua-a em copinhos plásticos.
3. Leve à geladeira para esfriar.
4. Depois de fria, decore com os confeitos prateados.

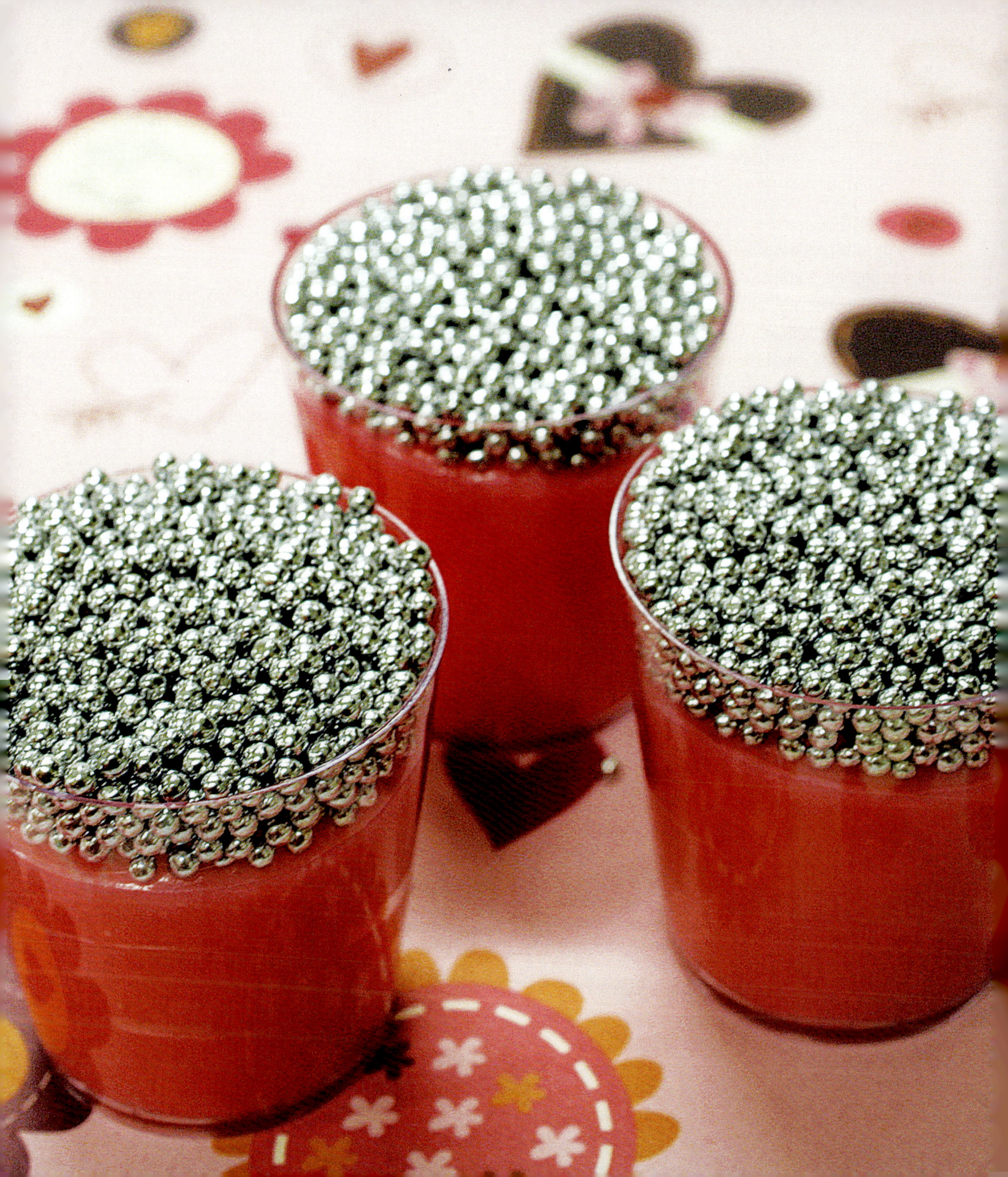

brigadeiro de laranja

Rendimento: 25 unidades

Ingredientes

395 g de leite condensado
30 g de chocolate branco
30 g de chocolate aromatizado sabor laranja
80 ml de creme de leite
3 colheres (sopa) de geleia de laranja
raspas de chocolate aromatizado
   sabor laranja para decorar

Modo de Preparo

1. Coloque todos os ingredientes em uma panela de alumínio. Leve a panela ao fogo médio, mexendo sempre, até a massa começar a se desprender. Retire do fogo.
2. Transfira a massa para uma tigela e leve à geladeira para esfriar.
3. Depois de fria, pegue cerca de meia colher de sobremesa de massa de brigadeiro.
4. Para facilitar o manuseio da massa, umedeça as mãos na água. Modele uma bolinha.
5. Passe a bolinha de massa pelas raspas de chocolate aromatizado.
6. Coloque-a em uma forminha de papel forrada com tapete de celofane transparente. Use o mesmo procedimento para as demais.

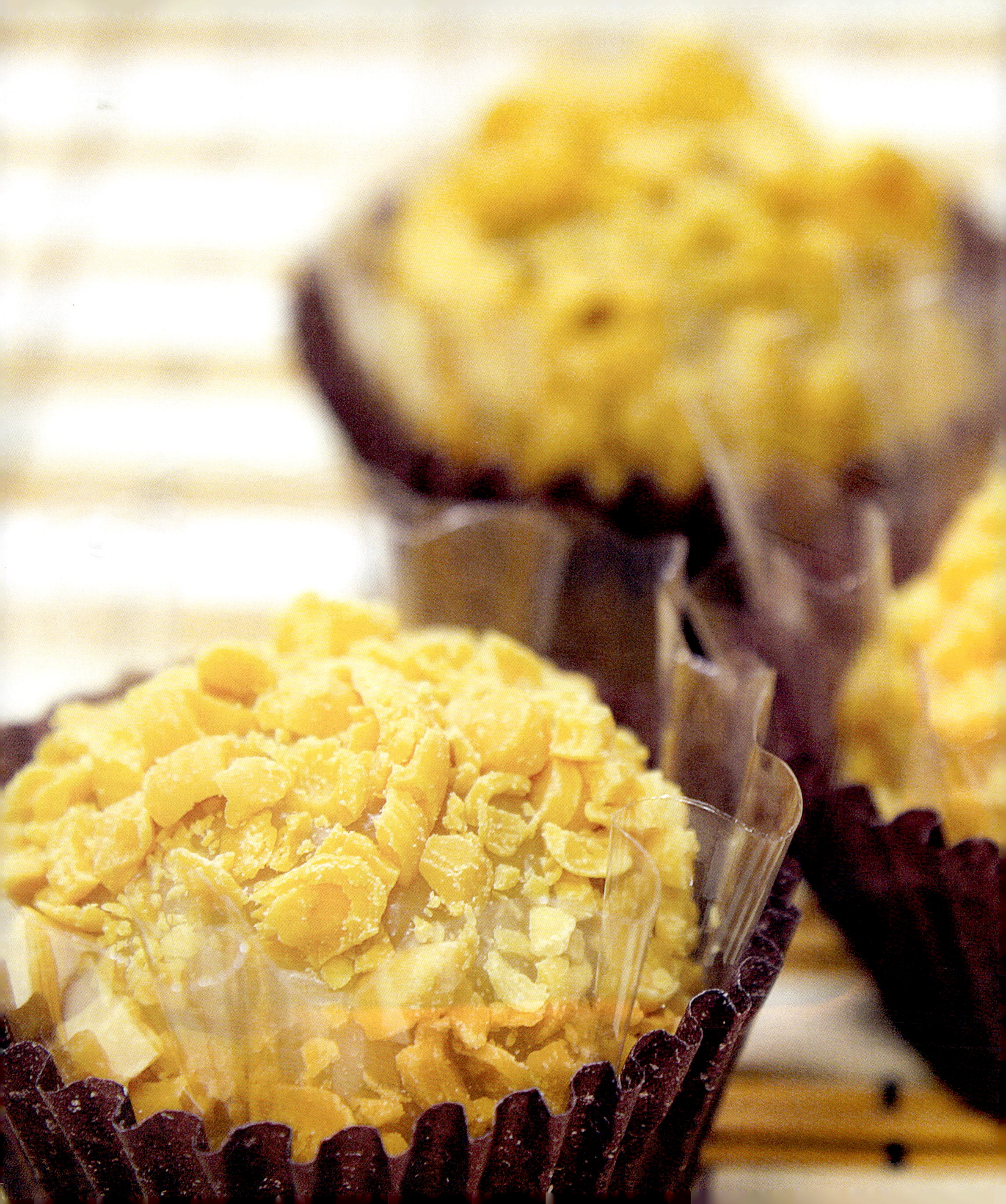

brigadeiro de limão-siciliano

Rendimento: 25 unidades

Ingredientes
395 g de leite condensado
raspas de 50 g de chocolate branco
1 colher (sopa) de manteiga sem sal
raspas da casca de 2 limões-sicilianos
suspiro triturado para decorar

Modo de Preparo
1. Em uma panela de alumínio, coloque o leite condensado, as raspas de chocolate branco e a manteiga. Leve a panela ao fogo brando, mexendo sempre, até a mistura começar a se desprender.
2. Retire do fogo e junte as raspas de limão-siciliano. Misture bem para liberar o óleo essencial da casca.
3. Transfira a massa para uma tigela e leve à geladeira para esfriar.
4. Depois de fria, pegue cerca de meia colher de sobremesa de massa de brigadeiro.
5. Para facilitar o manuseio da massa, umedeça as mãos na água. Modele uma bolinha.
6. Passe a bolinha de massa pelo suspiro triturado.
7. Coloque-a em uma forminha de papel forrada com tapete de celofane transparente. Use o mesmo procedimento para as demais.

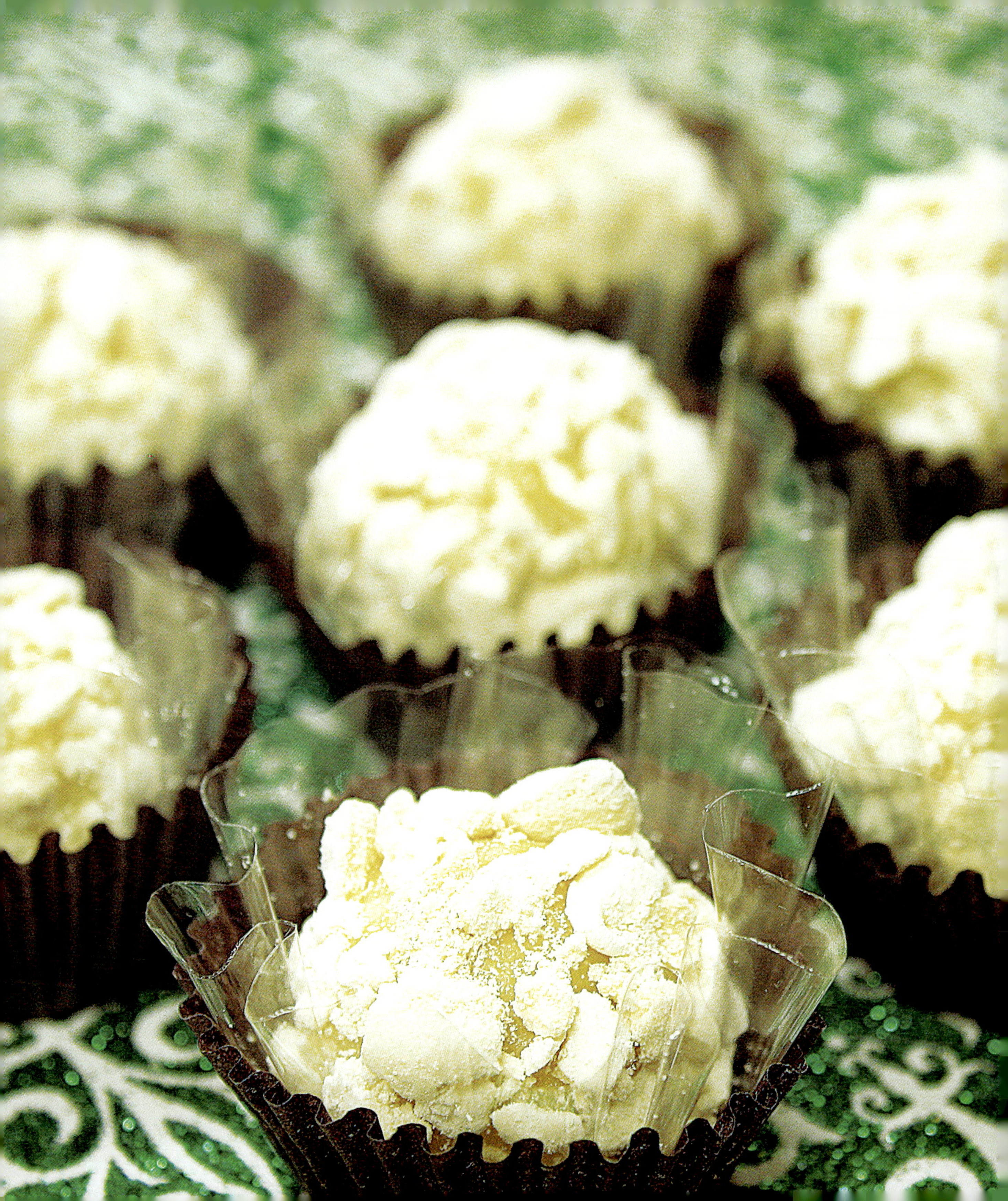

brigadeiro de limão-taiti

Rendimento: 25 unidades

Ingredientes

395 g de leite condensado
50 g de chocolate aromatizado sabor limão
50 ml de creme de leite
1 colher (sopa) de manteiga sem sal
raspas da casca de 2 limões-taiti
raspas de chocolate aromatizado sabor limão para decorar
raspas da casca de limão-taiti para decorar

Modo de Preparo

1. Coloque todos os ingredientes, exceto as raspas de limão, em uma panela de alumínio. Leve a panela ao fogo médio, mexendo sempre, até a massa começar a se desprender.
2. Retire do fogo e acrescente as raspas de limão, mexendo bem.
3. Com a massa ainda quente, distribua-a em copinhos plásticos.
4. Leve à geladeira para esfriar.
5. Depois de fria, coloque raspas de chocolate aromatizado de limão por cima e decore com raspas de casca de limão.

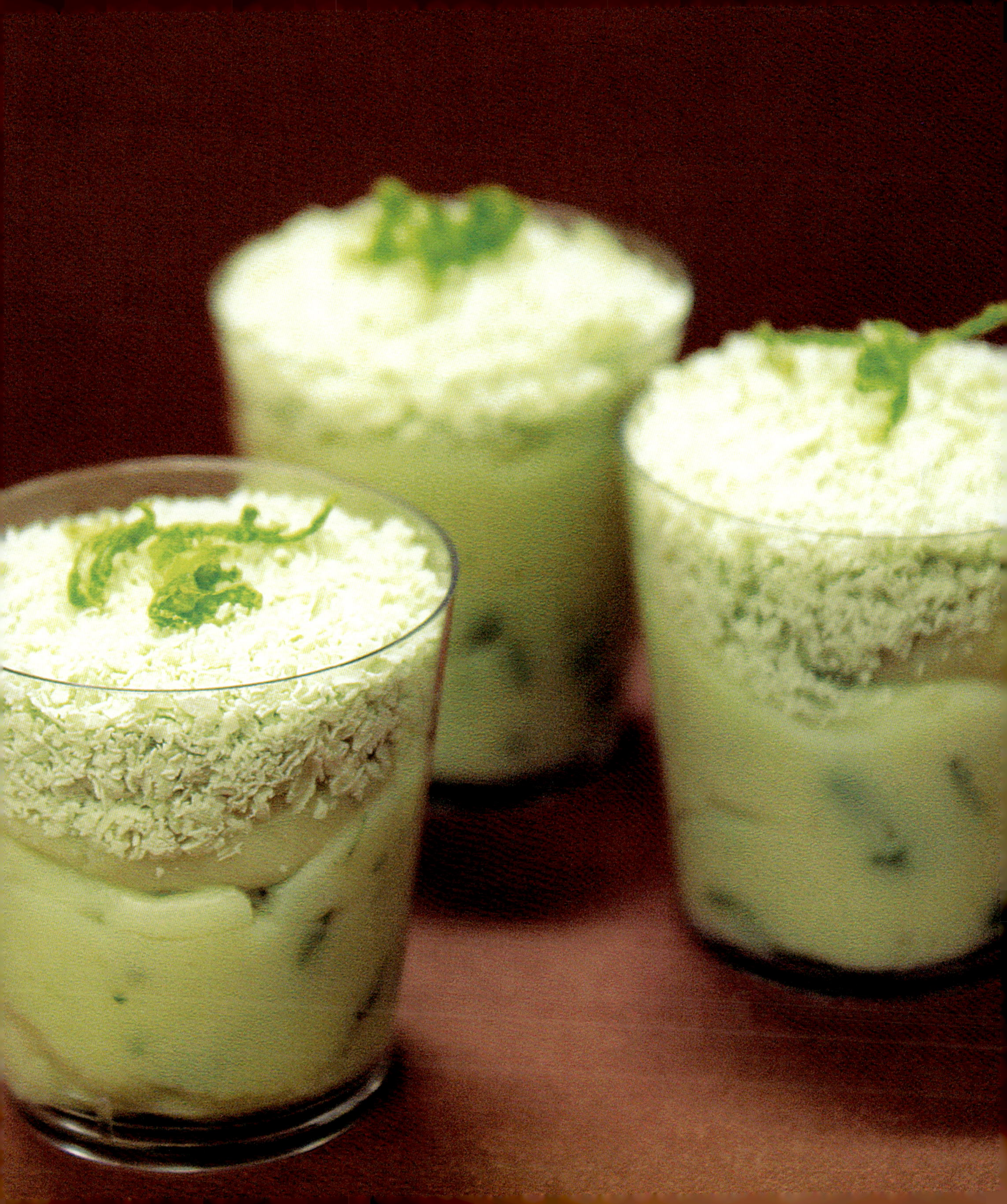

brigadeiro de morango

Rendimento: 25 unidades

Ingredientes
395 g de leite condensado
50 g de chocolate branco
50 g de creme de leite
1 colher (sopa) de manteiga sem sal
30 g de pasta de morango
açúcar cristal para decorar

Modo de Preparo
1. Coloque todos os ingredientes em uma panela de alumínio. Leve a panela ao fogo médio, mexendo sempre, até a massa começar a se desprender. Retire do fogo.
2. Transfira a massa para uma tigela e leve à geladeira para esfriar.
3. Depois de fria, pegue cerca de meia colher de sobremesa de massa de brigadeiro.
4. Para facilitar o manuseio da massa, umedeça as mãos na água. Modele uma bolinha.
5. Passe a bolinha de massa pelo açúcar cristal.
6. Coloque-a em uma forminha de papel forrada com tapete de celofane transparente. Use o mesmo procedimento para as demais.

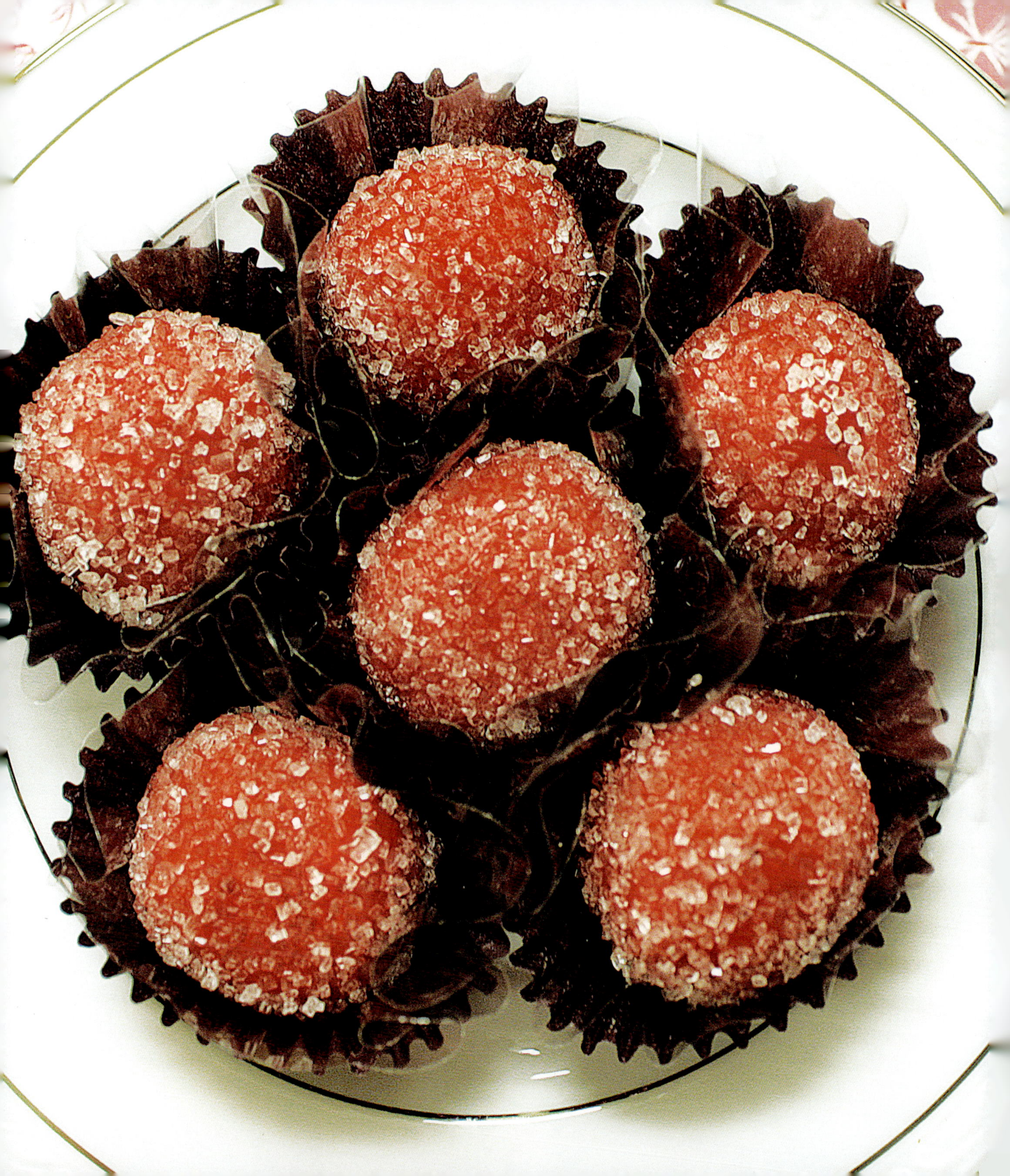

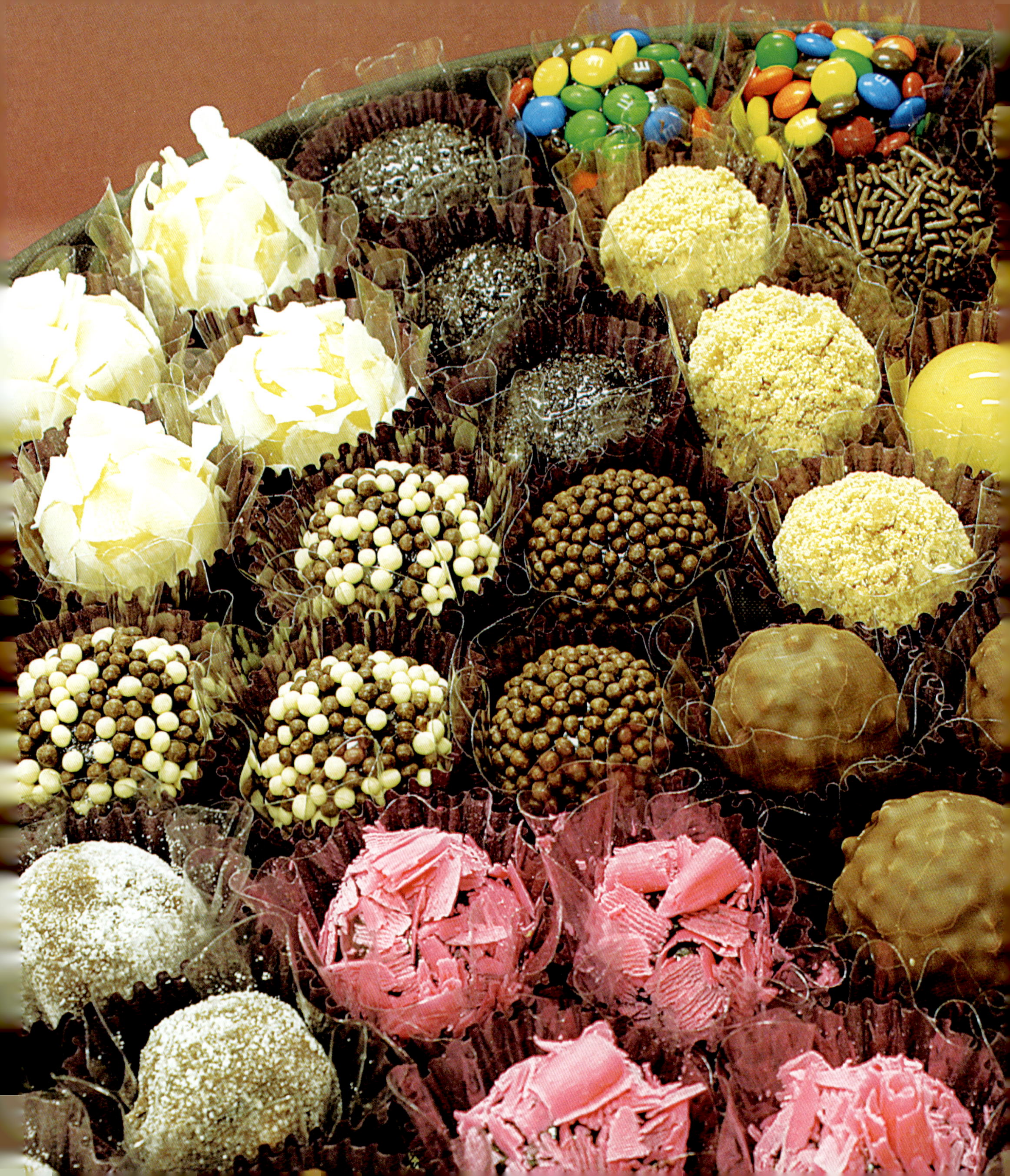

especiais

brigadeiro de café

Rendimento: 25 unidades

Ingredientes

395 g de leite condensado
50 g de chocolate meio-amargo
50 g de creme de leite
1 colher (sopa) de manteiga sem sal
30 g de café solúvel dissolvido
   em 1 colher (sopa) de água
confeitos de chocolate meio-amargo

Modo de Preparo

1. Coloque todos os ingredientes em uma panela de alumínio. Leve a panela ao fogo médio, mexendo sempre, até a massa começar a se desprender. Retire do fogo.
2. Transfira a massa para uma tigela e leve à geladeira para esfriar.
3. Depois de fria, pegue cerca de meia colher de sobremesa de massa de brigadeiro.
4. Para facilitar o manuseio da massa, umedeça as mãos na água. Modele uma bolinha.
5. Passe a bolinha de massa pelos confeitos de chocolate meio-amargo.
6. Coloque-a em uma forminha de papel forrada com tapete de celofane transparente. Use o mesmo procedimento para as demais.

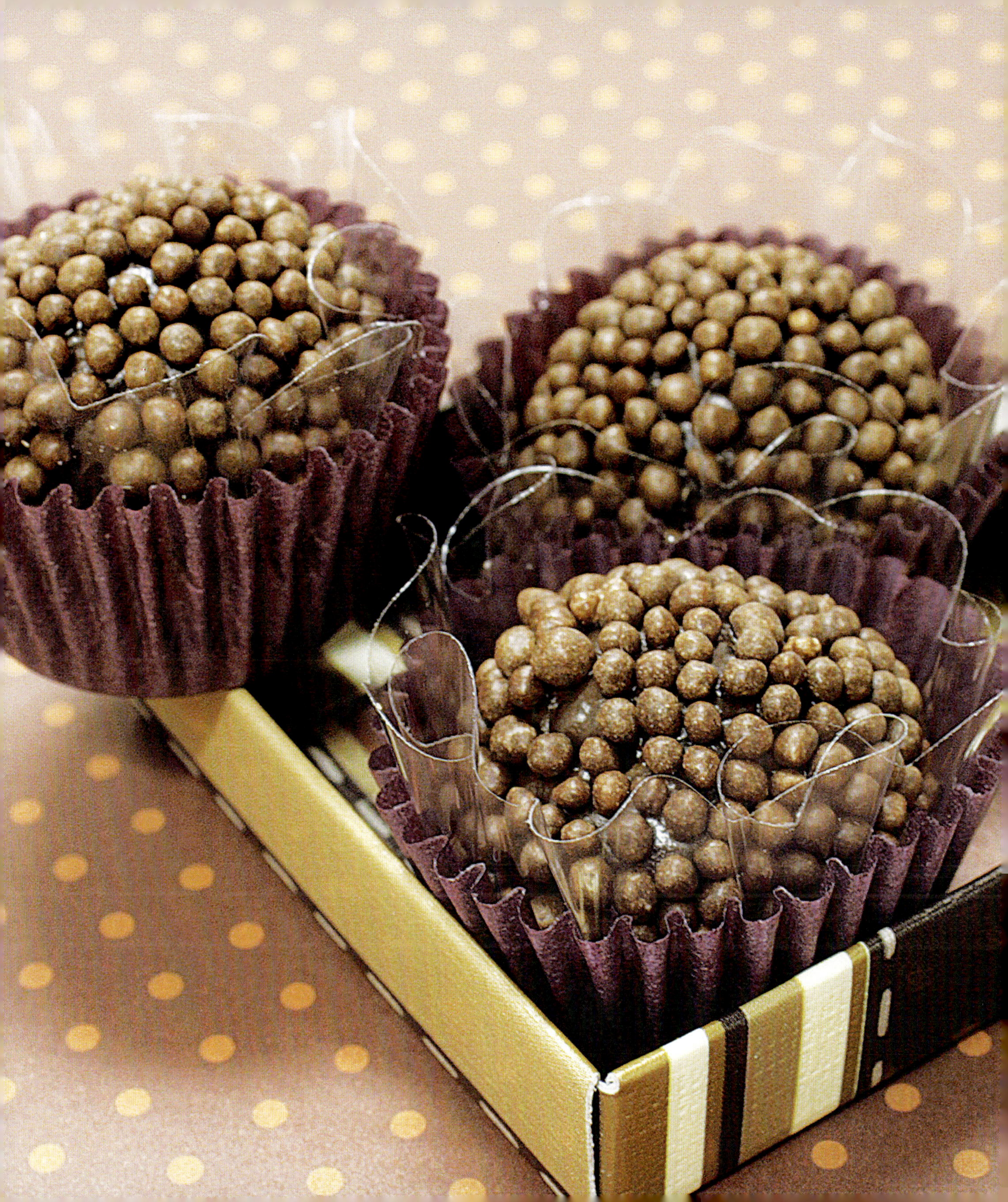

brigadeiro de capuccino

Rendimento: 25 unidades

Ingredientes
395 g de leite condensado
50 g de chocolate meio-amargo
50 g de creme de leite
1 colher (sopa) de manteiga sem sal
2 colheres (sopa) de leite em pó
1 colher (sopa) de pasta de café
ovomaltine misturado com leite em pó

Modo de Preparo
1. Coloque o leite condensado, o chocolate meio-amargo, o creme de leite e a manteiga em uma panela de alumínio.
2. Leve a panela ao fogo médio, mexendo sempre, até a massa começar a se desprender.
3. Retire do fogo e acrescente o leite em pó e a pasta de café, mexendo sempre.
4. Transfira a massa para uma tigela e leve à geladeira para esfriar.
5. Depois de fria, pegue cerca de meia colher de sobremesa de massa de brigadeiro.
6. Para facilitar o manuseio da massa, umedeça as mãos na água. Modele uma bolinha.
7. Passe a bolinha de massa pelo ovomaltine misturado com leite em pó.
8. Coloque-a em uma forminha de papel forrada com tapete de celofane transparente. Use o mesmo procedimento para as demais.
9. Coloque os brigadeiros dentro de suportes plásticos para copinhos de café.

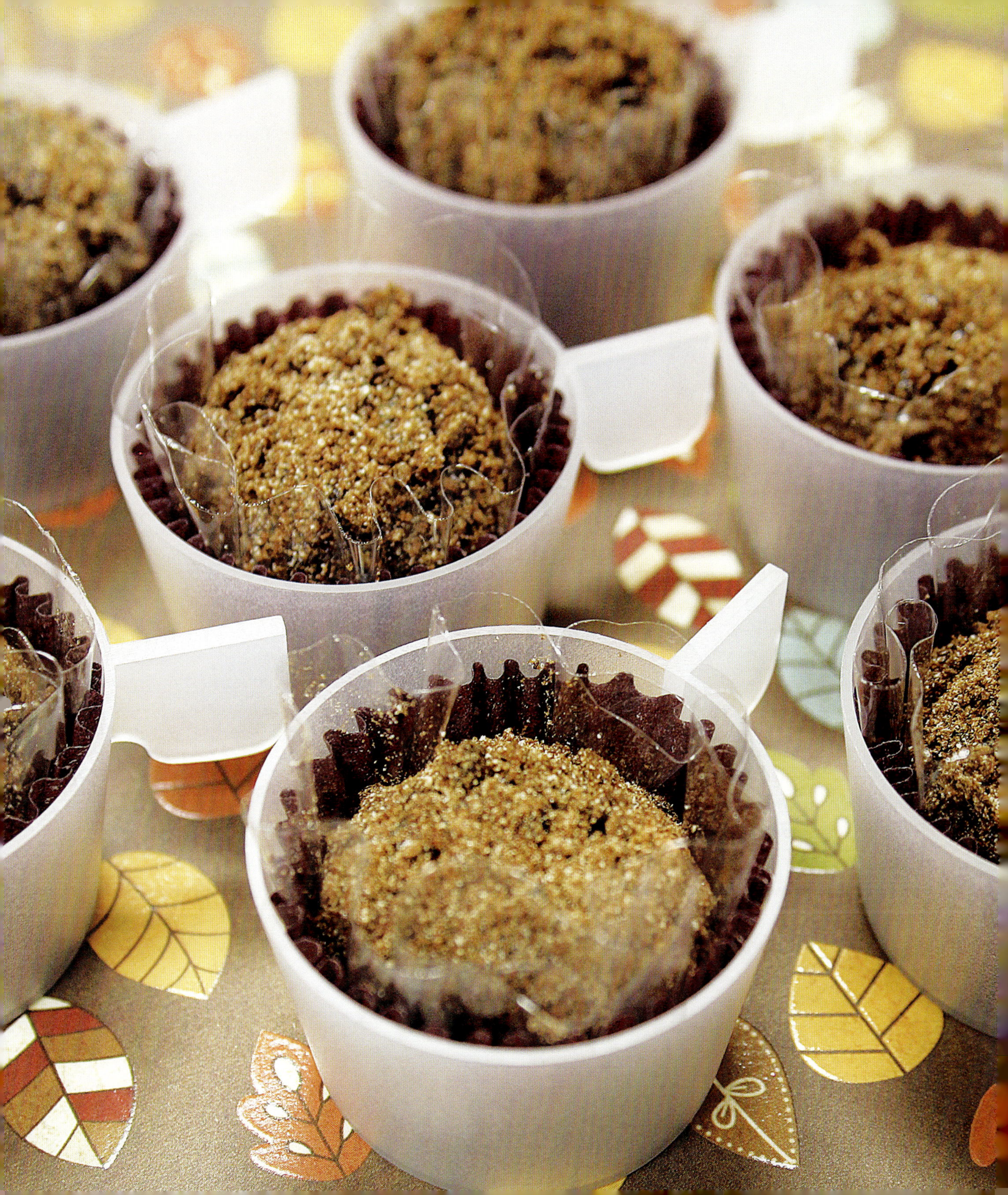

brigadeiro caramelado

Rendimento: 25 unidades

Ingredientes

para a massa do brigadeiro
395 g de leite condensado
50 g de chocolate branco
50 ml de creme de leite
1 colher (sopa) de manteiga sem sal
3 gemas peneiradas

para o caramelo
300 g de açúcar cristal
100 ml de água
1 colher (sopa) de xarope de glucose

Modo de Preparo

1. Para preparar a massa do brigadeiro, coloque todos os ingredientes em uma panela de alumínio. Leve a panela ao fogo médio, mexendo sempre, até a massa começar a se desprender. Retire do fogo.
2. Transfira a massa para uma tigela e leve à geladeira para esfriar.
3. Depois de fria, pegue cerca de meia colher de sobremesa de massa de brigadeiro.
4. Para facilitar o manuseio da massa, umedeça as mãos na água. Modele uma bolinha.
5. Introduza um palito com a ponta untada na manteiga em cada bolinha e leve à geladeira.
6. Quando os brigadeiros estiverem bem gelados, comece a preparar o caramelo: em uma panela, misture o açúcar cristal, a água e a glucose e leve ao fogo até ficar da cor de caramelo-claro.
7. Retire do fogo, espere a fervura reduzir e banhe os brigadeiros gelados no caramelo.
8. Retire o palito do brigadeiro e coloque-o em uma forminha de papel forrada com tapete de celofane transparente. Use o mesmo procedimento para as demais.

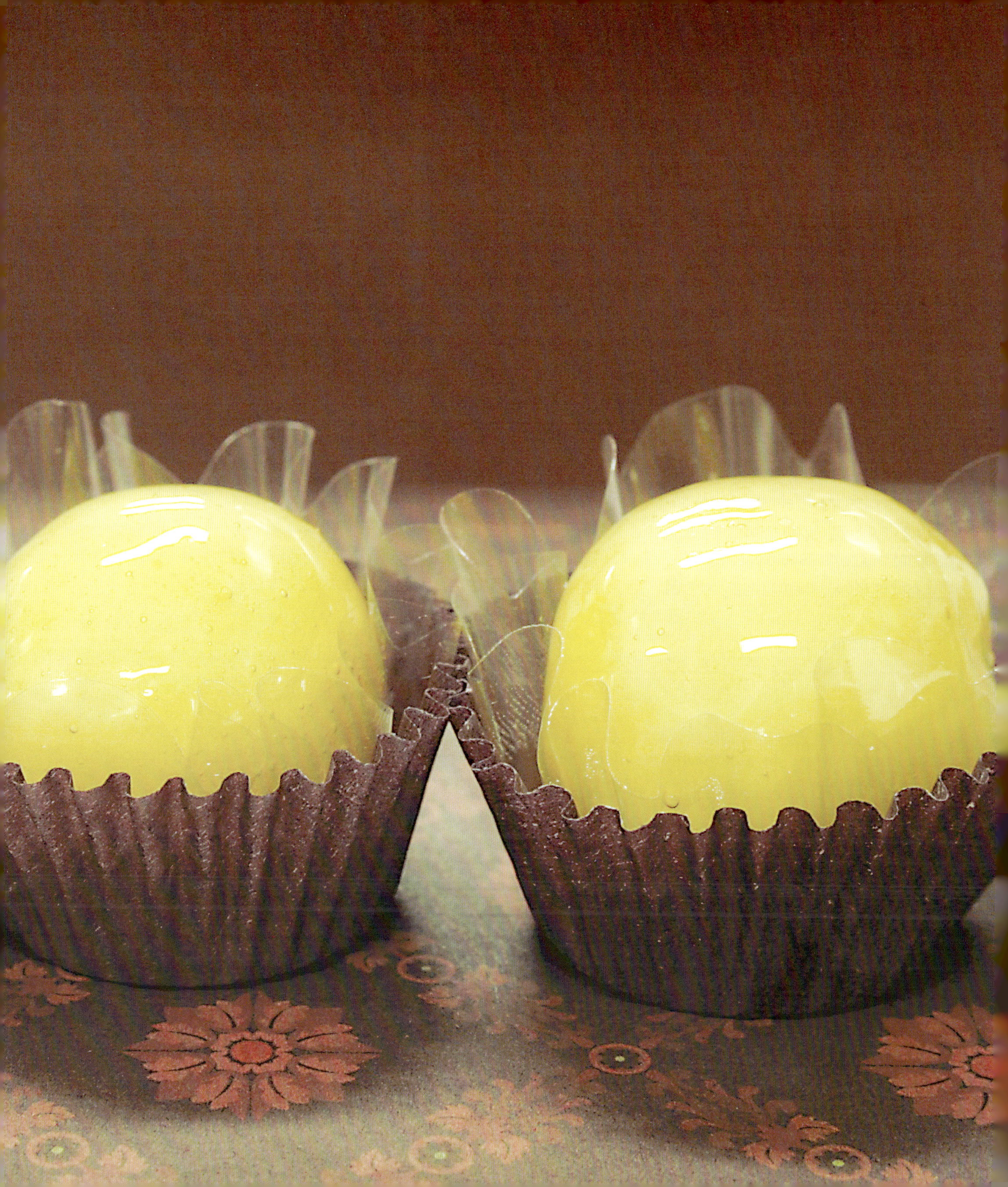

brigadeiro casadinho

Rendimento: 25 unidades

Ingredientes

para o brigadeiro branco
395 g de leite condensado
70 g de chocolate branco
50 ml de creme de leite
1 colher (sopa) de manteiga sem sal
1 colher (sopa) de leite em pó

para o brigadeiro ao leite
395 g de leite condensado
1 colher (sopa) de chocolate em pó
70 g de chocolate ao leite
50 ml de creme de leite
1 colher (sopa) de manteiga sem sal

açúcar cristal para decorar

Modo de Preparo

1. Para preparar o brigadeiro branco, coloque todos os ingredientes, exceto o leite em pó, em uma panela de alumínio. Leve a panela ao fogo médio, mexendo sempre, até a massa começar a se desprender. Retire do fogo.
2. Acrescente o leite em pó e misture até obter uma massa homogênea.
3. Transfira a massa para uma tigela e leve à geladeira para esfriar.
4. Prepare o brigadeiro ao leite: coloque o leite condensado em uma panela de alumínio, junte o chocolate em pó e misture bem. Acrescente o chocolate ao leite, o creme de leite e a manteiga e misture até estar homogêneo.
5. Leve a panela ao fogo médio, mexendo sempre, até a massa começar a se desprender. Retire do fogo.
6. Transfira a massa para uma tigela e leve à geladeira para esfriar.
7. Depois que as duas massas estiverem frias, umedeça as mãos na água, pegue um pouco de cada massa e modele uma bolinha bicolor.
8. Passe a bolinha de massa pelo açúcar cristal.
9. Coloque-a em uma forminha de papel forrada com tapete de celofane transparente. Use o mesmo procedimento para as demais.

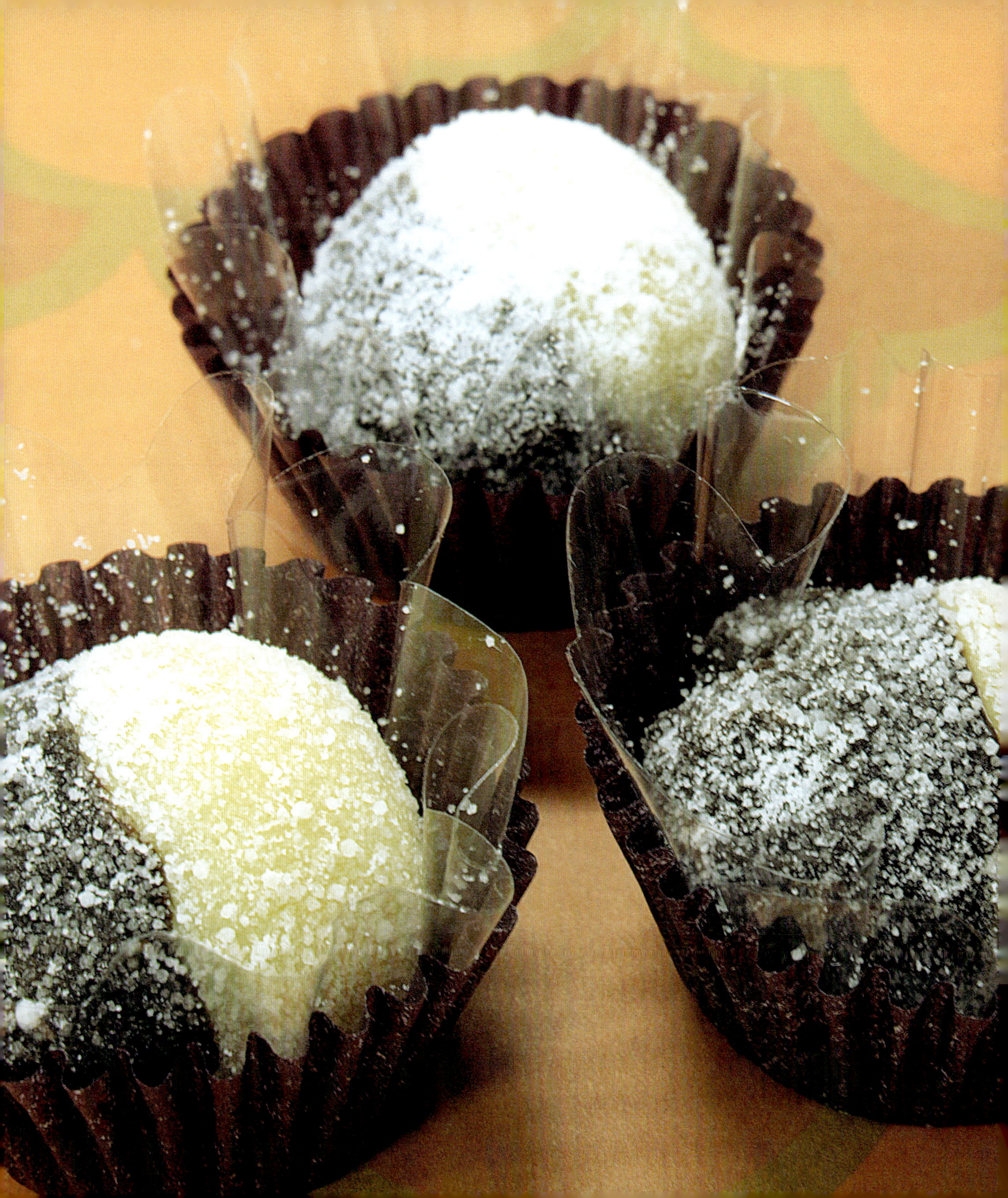

brigadeiro de chocolate com menta

Rendimento: 25 unidades

Ingredientes
395 g de leite condensado
1 colher (sopa) de cacau em pó
70 g de chocolate meio-amargo
50 ml de creme de leite
1 colher (sopa) de manteiga sem sal
1 colher (sopa) de pasta de menta
raspas de chocolate aromatizado sabor menta

Modo de Preparo
1. Coloque o leite condensado em uma panela de alumínio, junte o cacau em pó e misture bem. Acrescente o chocolate meio-amargo, creme de leite, a manteiga e a pasta de menta e misture até estar homogêneo.
2. Leve a panela ao fogo médio, mexendo sempre, até a massa começar a se desprender. Retire do fogo.
3. Transfira a massa para uma tigela e leve à geladeira para esfriar.
4. Depois de fria, pegue cerca de meia colher de sobremesa de massa de brigadeiro.
5. Para facilitar o manuseio da massa, umedeça as mãos na água. Modele uma bolinha.
6. Passe a bolinha de massa pelas raspas de chocolate.
7. Coloque-a em uma forminha de papel forrada com tapete de celofane transparente. Use o mesmo procedimento para as demais.

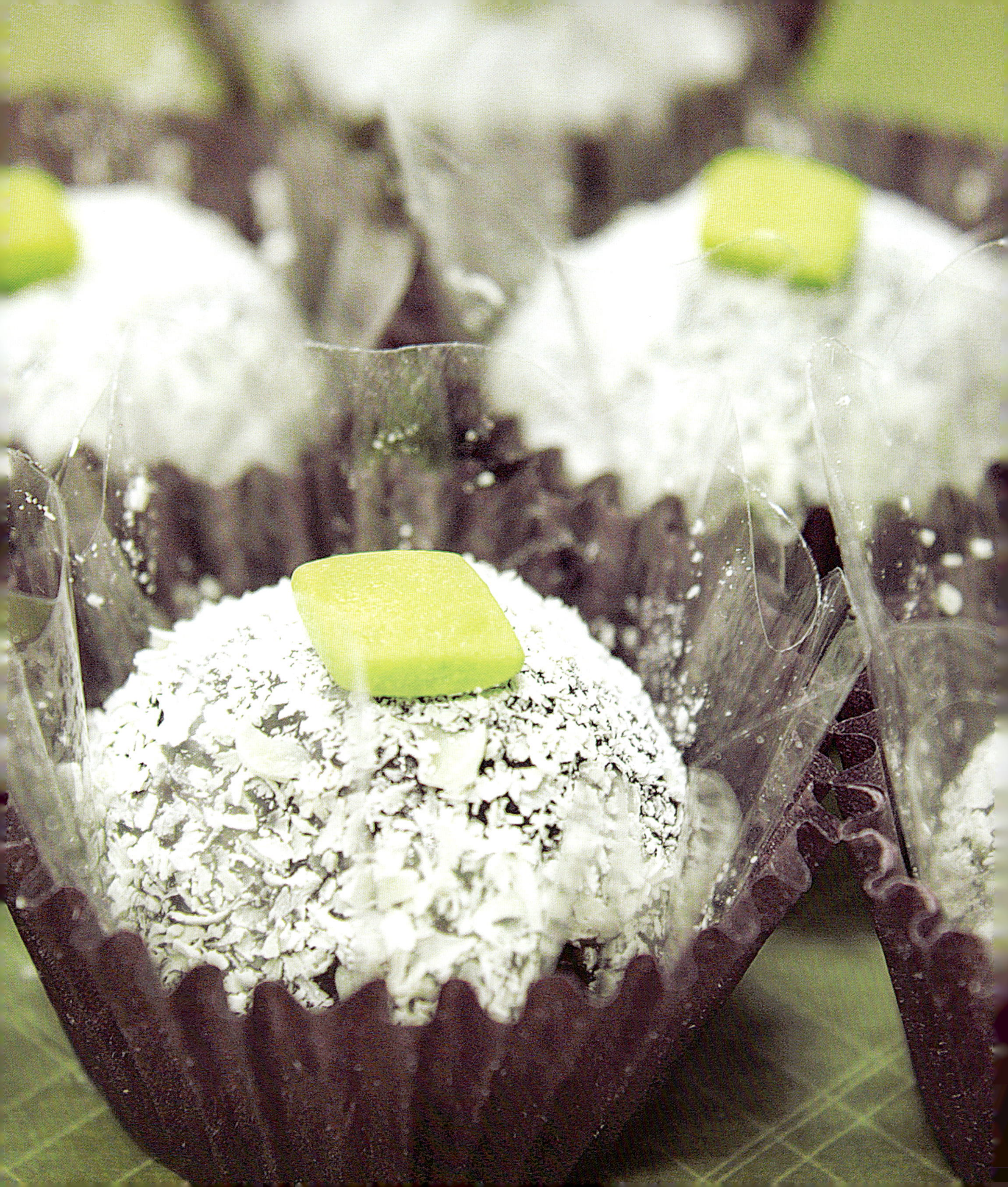

brigadeiro crocante

Rendimento: 25 unidades

Ingredientes

395 g de leite condensado
60 g de chocolate branco
80 g de creme de leite
1 colher (sopa) de manteiga sem sal
flocos de arroz para decorar
chocolate ao leite derretido para decorar

Modo de Preparo

1. Coloque todos os ingredientes em uma panela de alumínio. Leve a panela ao fogo médio, mexendo sempre, até a massa começar a se desprender. Retire do fogo.
2. Transfira a massa para uma tigela e leve à geladeira para esfriar.
3. Depois de fria, pegue cerca de meia colher de sobremesa de massa de brigadeiro.
4. Para facilitar o manuseio da massa, umedeça as mãos na água. Modele uma bolinha.
5. Passe a bolinha de massa pelos flocos de arroz (foto 1).
6. Em seguida, banhe a bolinha no chocolate ao leite derretido (foto 2).
7. Retire-a e coloque-a sobre uma folha de papel-manteiga (foto 3). Use o mesmo procedimento para as demais.
8. Leve à geladeira para secar. Depois de seco, corte as rebarbas de chocolate com a tesoura.

4

brigadeiro com confeitos coloridos

Rendimento: 25 unidades

Ingredientes
395 g de leite condensado
50 g de chocolate meio-amargo
50 g de chocolate ao leite
50 ml de creme de leite fresco
1 colher (sopa) de manteiga sem sal
3 gemas peneiradas
confeitos de chocolate coloridos para decorar

Modo de Preparo
1. Coloque todos os ingredientes em uma panela de alumínio. Leve a panela ao fogo médio, mexendo sempre, até a massa começar a se desprender. Retire do fogo.
2. Transfira a massa para uma tigela e leve à geladeira para esfriar.
3. Depois de fria, pegue cerca de meia colher de sobremesa de massa de brigadeiro.
4. Para facilitar o manuseio da massa, umedeça as mãos na água. Modele uma bolinha.
5. Passe a bolinha de massa pelos confeitos de chocolate.
6. Coloque-a em uma forminha de papel forrada com tapete de celofane transparente. Use o mesmo procedimento para as demais.

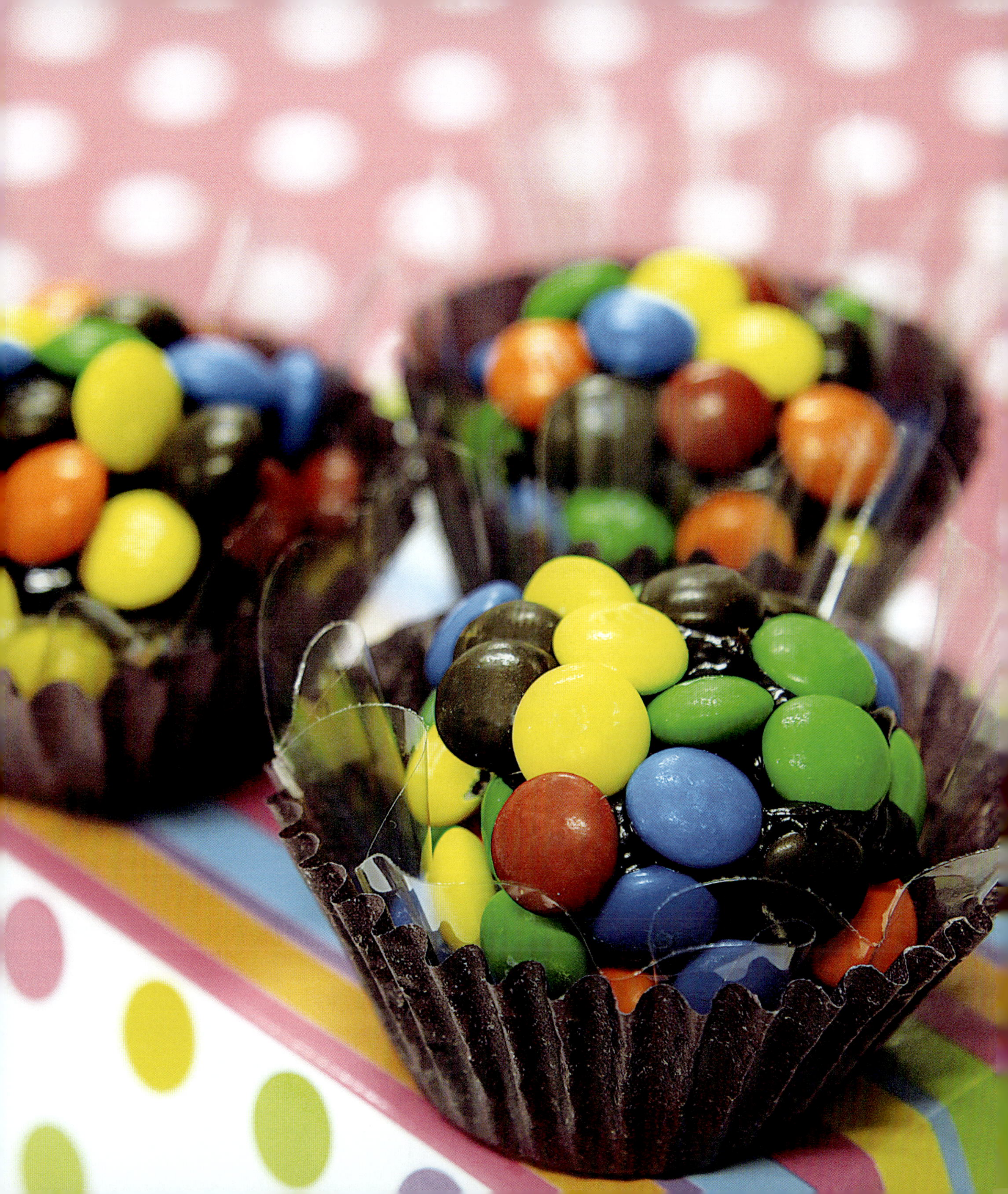

brigadeiro de cookies

Rendimento: 25 unidades

Ingredientes
395 g de leite condensado
1 colher (sopa) de cacau em pó
50 g de chocolate ao leite
50 g de creme de leite
1 colher (sopa) de manteiga sem sal
100 g de cookie de chocolate triturado
biscoitos de chocolate quebrados para decorar

Modo de Preparo
1. Coloque o leite condensado em uma panela de alumínio, junte o cacau em pó e misture bem. Acrescente o chocolate ao leite, o creme de leite e a manteiga e misture até estar homogêneo.
2. Leve a panela ao fogo médio, mexendo sempre, até a massa começar a se desprender.
3. Retire do fogo, acrescente os cookies triturados e misture bem.
4. Transfira a massa para uma tigela e leve à geladeira para esfriar.
5. Depois de fria, pegue cerca de meia colher de sobremesa de massa de brigadeiro.
6. Para facilitar o manuseio da massa, umedeça as mãos na água. Modele uma bolinha.
7. Passe a bolinha de massa pelos biscoitos de chocolate quebrados.
8. Coloque-a em uma forminha de papel forrada com tapete de celofane transparente. Use o mesmo procedimento para as demais.

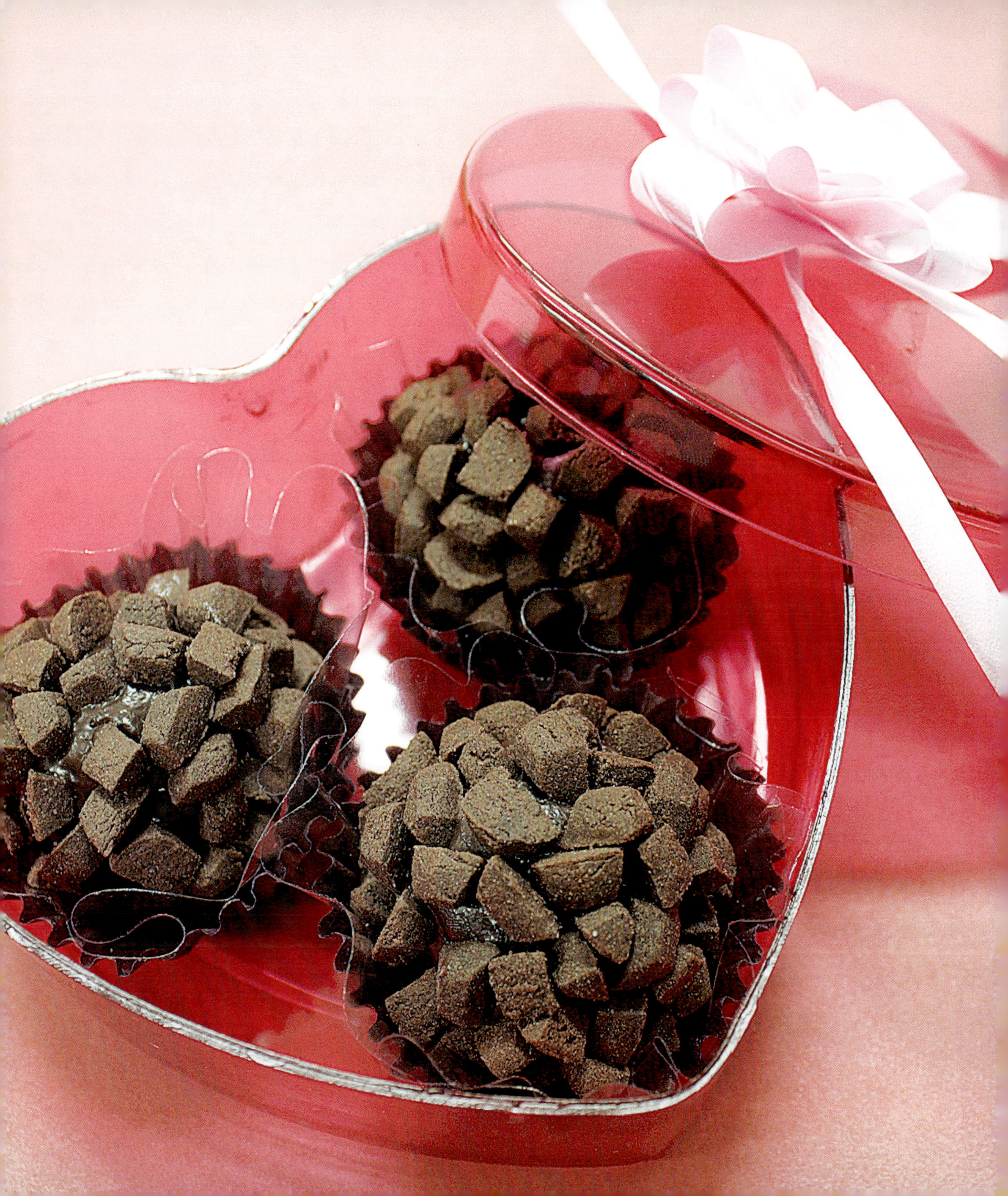

brigadeiro crispies

Rendimento: 25 unidades

Ingredientes
395 g de leite condensado
3 colheres (sopa) de chocolate em pó
2 gemas peneiradas
1 colher (sopa) de manteiga sem sal
confeito branco e preto para decorar

Modo de Preparo
1. Coloque o leite condensado em uma panela de alumínio, junte o chocolate em pó e misture bem. Acrescente as gemas e a manteiga e misture até estar homogêneo.
2. Leve a panela ao fogo médio, mexendo sempre, até a massa começar a se desprender. Retire do fogo.
3. Transfira a massa para uma tigela e leve à geladeira para esfriar.
4. Depois de fria, pegue cerca de meia colher de sobremesa de massa de brigadeiro.
5. Para facilitar o manuseio da massa, umedeça as mãos na água. Modele uma bolinha.
6. Passe a bolinha de massa pelos crispies.
7. Coloque-a em uma forminha de papel forrada com tapete de celofane transparente. Use o mesmo procedimento para as demais.

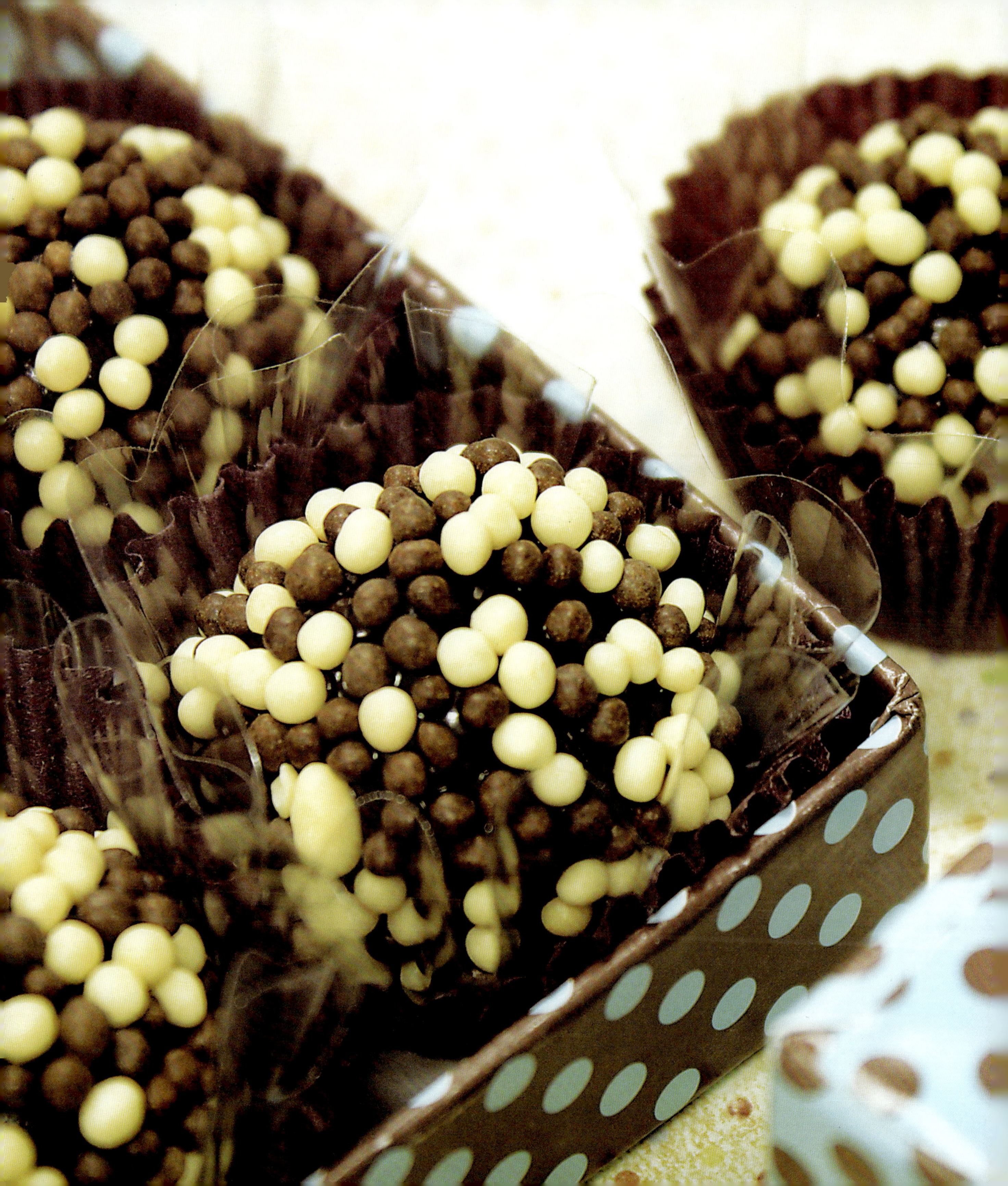

brigadeiro de doce de leite

Rendimento: 25 unidades

Ingredientes
395 g de leite condensado
50 g de chocolate branco
100 g de doce de leite cremoso
1 colher (sopa) de manteiga sem sal
doce de leite esfarelado para decorar

Modo de Preparo
1. Coloque todos os ingredientes em uma panela de alumínio. Leve a panela ao fogo médio, mexendo sempre, até a massa começar a se desprender. Retire do fogo.
2. Transfira a massa para uma tigela e leve à geladeira para esfriar.
3. Depois de fria, pegue cerca de meia colher de sobremesa de massa de brigadeiro.
4. Para facilitar o manuseio da massa, umedeça as mãos na água. Modele uma bolinha.
5. Passe a bolinha de massa pelo doce de leite esfarelado.
6. Coloque-a em uma forminha de papel forrada com tapete de celofane transparente. Use o mesmo procedimento para as demais.

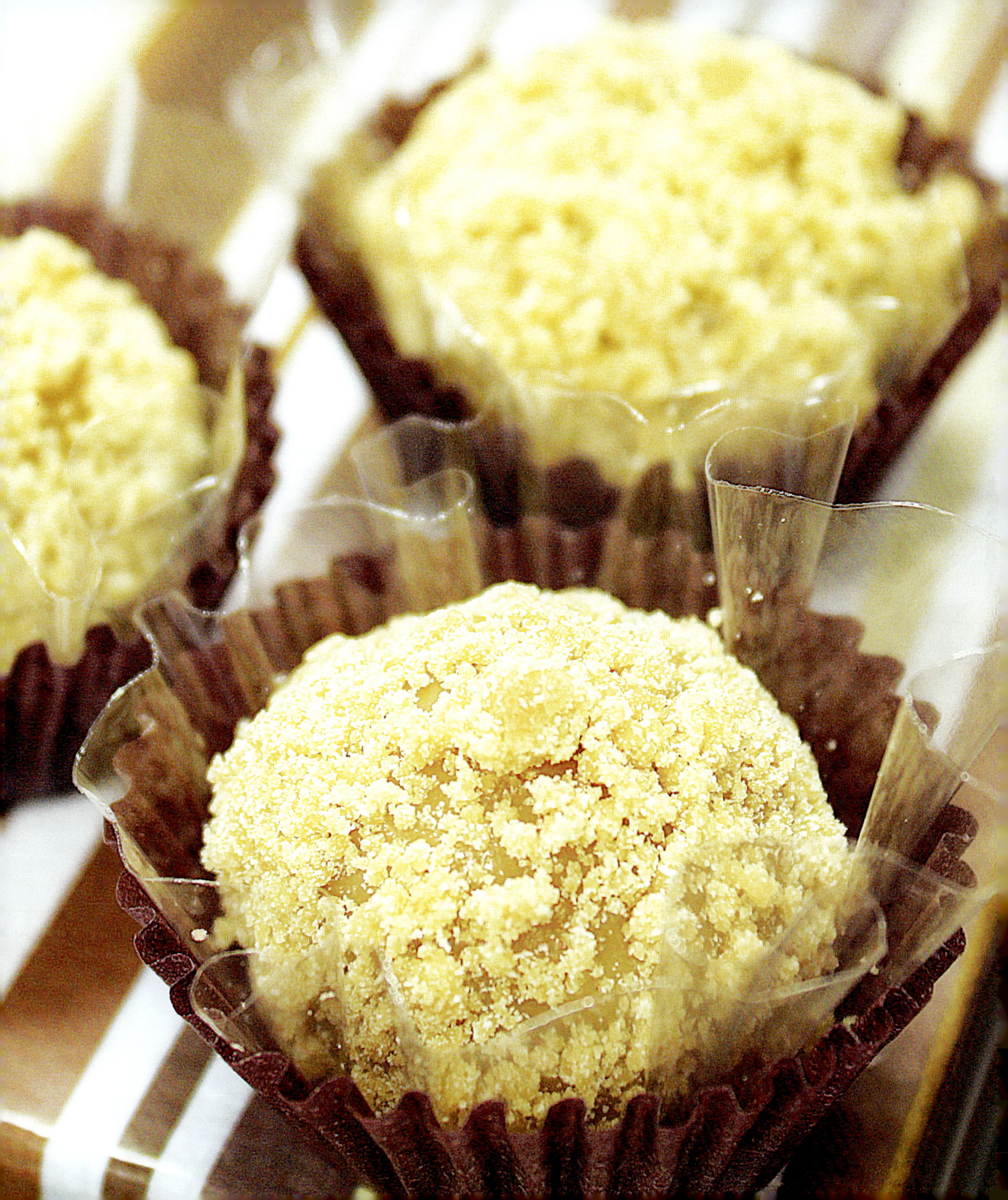

brigadeiro de doce de leite com coco queimado

Rendimento: 25 unidades

Ingredientes
395 g de leite condensado
200 g de doce de leite cremoso
50 ml de creme de leite
1 colher (sopa) de manteiga sem sal
coco queimado ralado grosso para decorar

Modo de Preparo
1. Coloque todos os ingredientes em uma panela de alumínio. Leve a panela ao fogo médio, mexendo sempre, até a massa começar a se desprender. Retire do fogo.
2. Transfira a massa para uma tigela e leve à geladeira para esfriar.
3. Depois de fria, pegue cerca de meia colher de sobremesa de massa de brigadeiro.
4. Para facilitar o manuseio da massa, umedeça as mãos na água. Modele uma bolinha.
5. Passe a bolinha de massa pelo coco queimado ralado.
6. Coloque-a em uma forminha de papel forrada com tapete de celofane transparente. Use o mesmo procedimento para as demais.

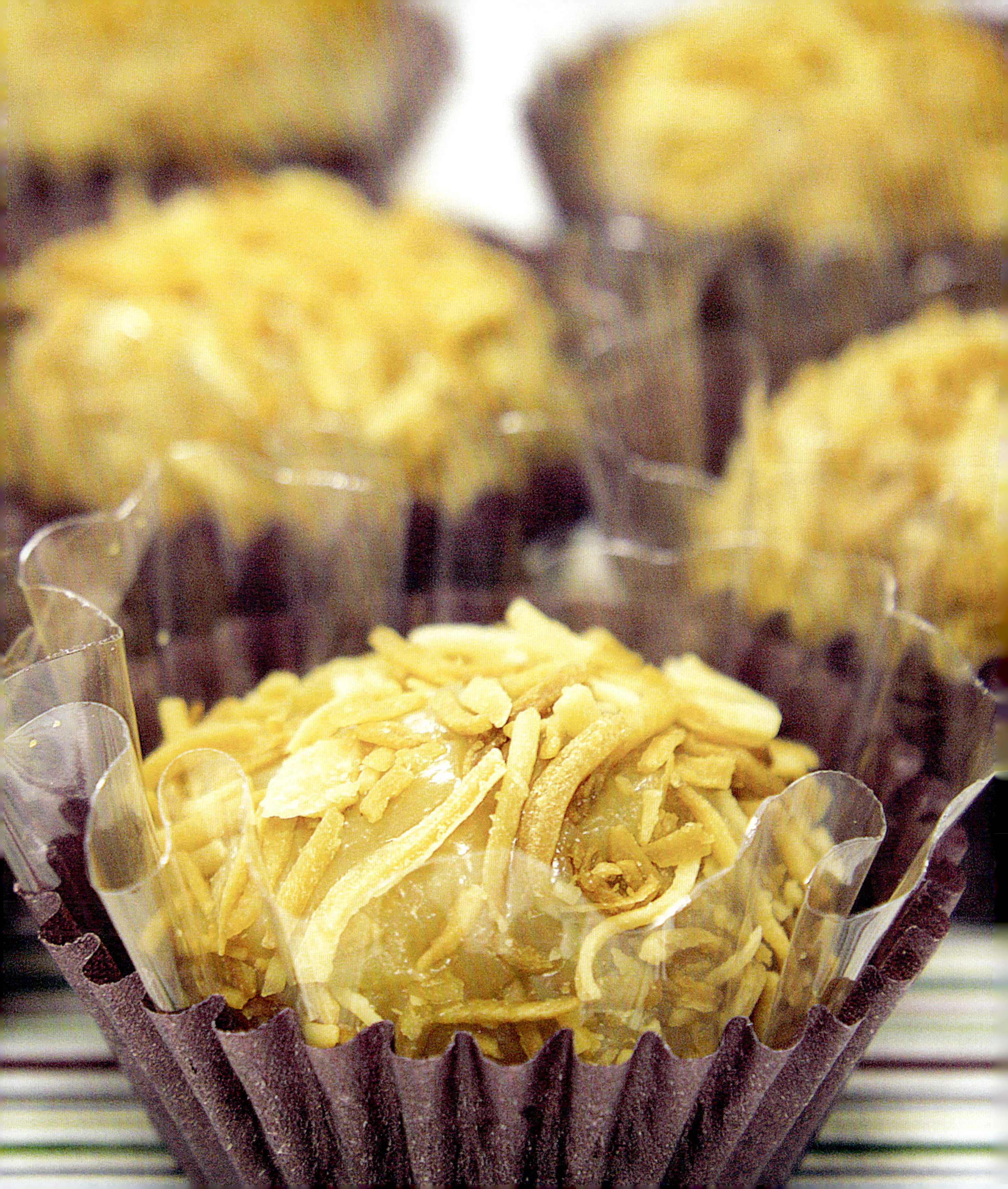

brigadeiro de leite em pó

Rendimento: 25 unidades

Ingredientes
395 g de leite condensado
50 g de chocolate branco
50 ml de creme de leite
1 colher (sopa) de manteiga sem sal
3 colheres (sopa) de leite em pó
leite em pó para decorar

Modo de Preparo
1. Coloque todos os ingredientes, exceto o leite em pó, em uma panela de alumínio (foto 1).
Leve a panela ao fogo médio, mexendo sempre, até a massa começar a se desprender. Retire do fogo.
2. Acrescente o leite em pó e misture até obter uma massa homogênea (foto 2).
3. Transfira a massa para uma tigela e leve à geladeira para esfriar.
4. Depois de fria, pegue cerca de meia colher de sobremesa de massa de brigadeiro.
5. Para facilitar o manuseio da massa, umedeça as mãos na água. Modele uma bolinha.
6. Passe a bolinha de massa pelo leite em pó.
7. Coloque-a em uma forminha de papel forrada com tapete de celofane transparente.
Use o mesmo procedimento para as demais.

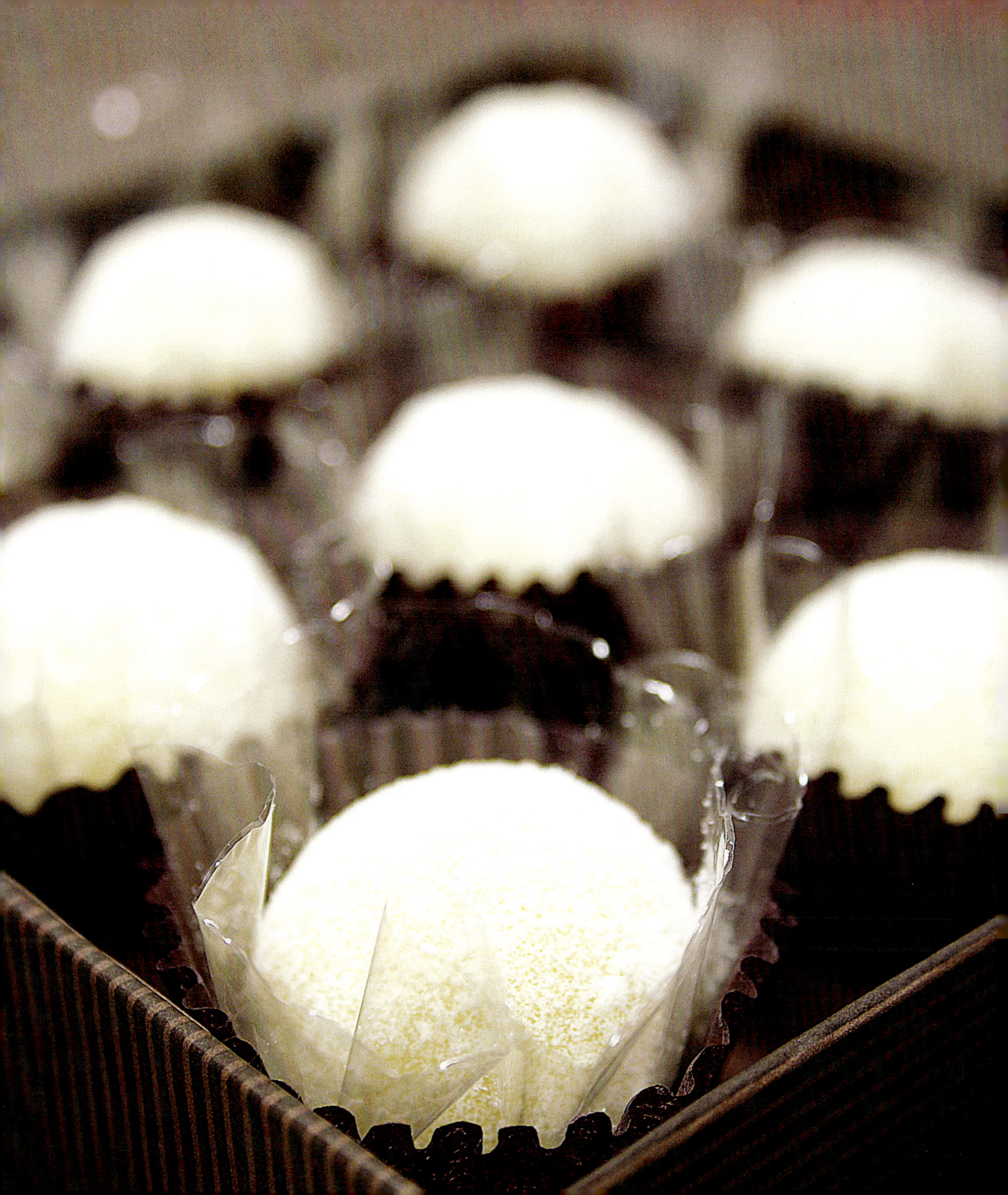

brigadeiro granulado

Rendimento: 25 unidades

Ingredientes
395 g de leite condensado
2 colheres (sopa) de cacau em pó
30 g de chocolate ao leite
50 ml de creme de leite
1 colher (sopa) de manteiga sem sal
chocolate ao leite granulado para decorar

Modo de Preparo
1. Coloque o leite condensado em uma panela de alumínio, junte o cacau em pó e misture bem. Acrescente o chocolate ao leite, o creme de leite e a manteiga e misture até estar homogêneo.
2. Leve a panela ao fogo médio, mexendo sempre, até a massa começar a se desprender. Retire do fogo.
3. Transfira a massa para uma tigela e leve à geladeira para esfriar.
4. Depois de fria, pegue cerca de meia colher de sobremesa de massa de brigadeiro.
5. Para facilitar o manuseio da massa, umedeça as mãos na água. Modele uma bolinha.
6. Passe a bolinha de massa pelo chocolate ao leite granulado.
7. Coloque-a em uma forminha de papel forrada com tapete de celofane transparente. Use o mesmo procedimento para as demais.

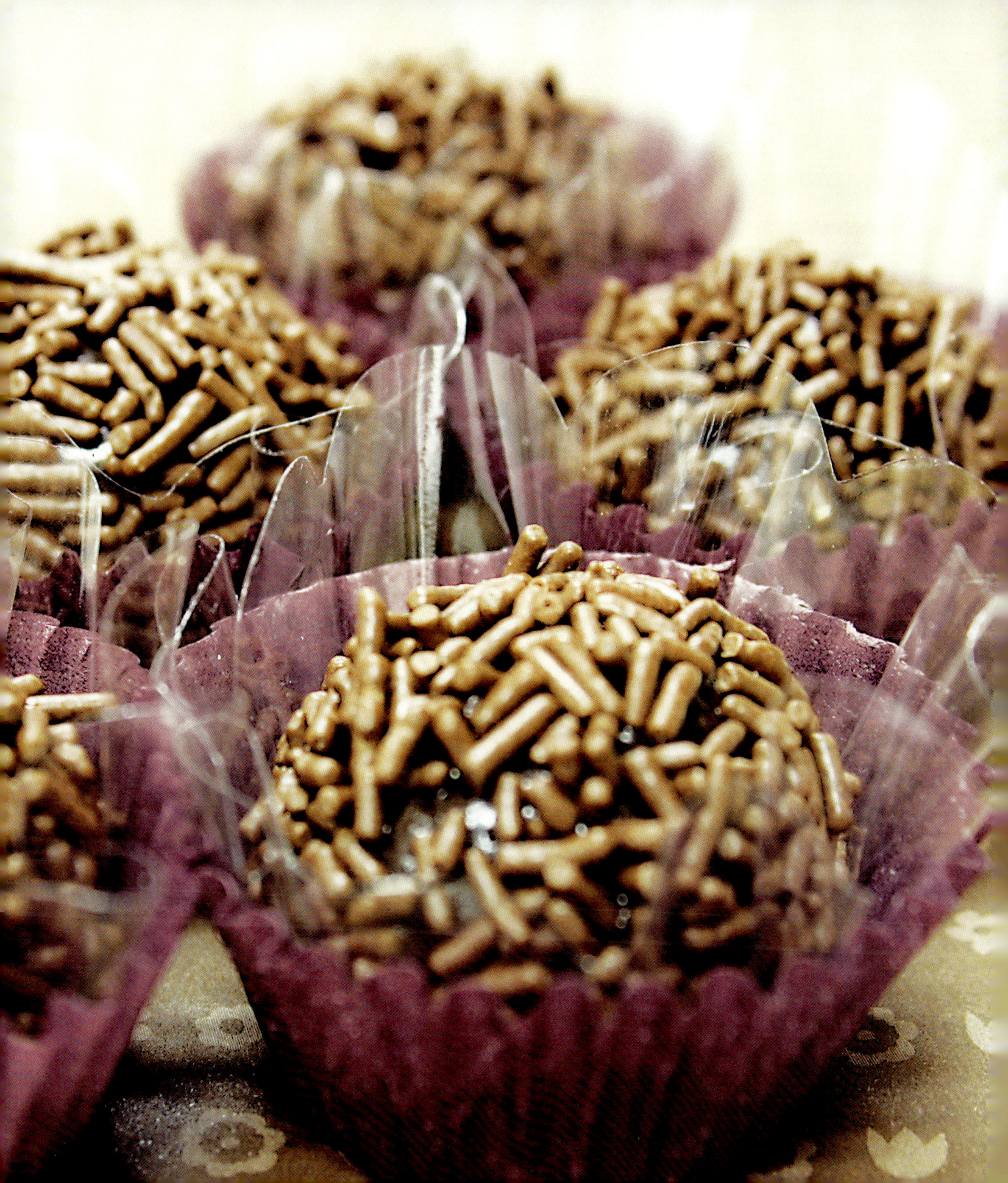

brigadeiro de ovomaltine

Rendimento: 25 unidades

Ingredientes
395 g de leite condensado
1 colher (sopa) de chocolate em pó
50 ml de creme de leite
1 colher (sopa) de manteiga sem sal
3 colheres (sopa) de ovomaltine
ovomaltine misturado com leite em pó para decorar

Modo de Preparo
1. Coloque o leite condensado em uma panela de alumínio, junte o chocolate em pó e misture bem. Acrescente o creme de leite, a manteiga e o ovomaltine e misture até estar homogêneo.
2. Leve a panela ao fogo médio, mexendo sempre, até a massa começar a se desprender. Retire do fogo.
3. Com a massa ainda quente, distribua-a em potinhos plásticos.
4. Leva à geladeira para esfriar.
5. Depois de fria, decore com ovamaltine misturado com leite em pó.

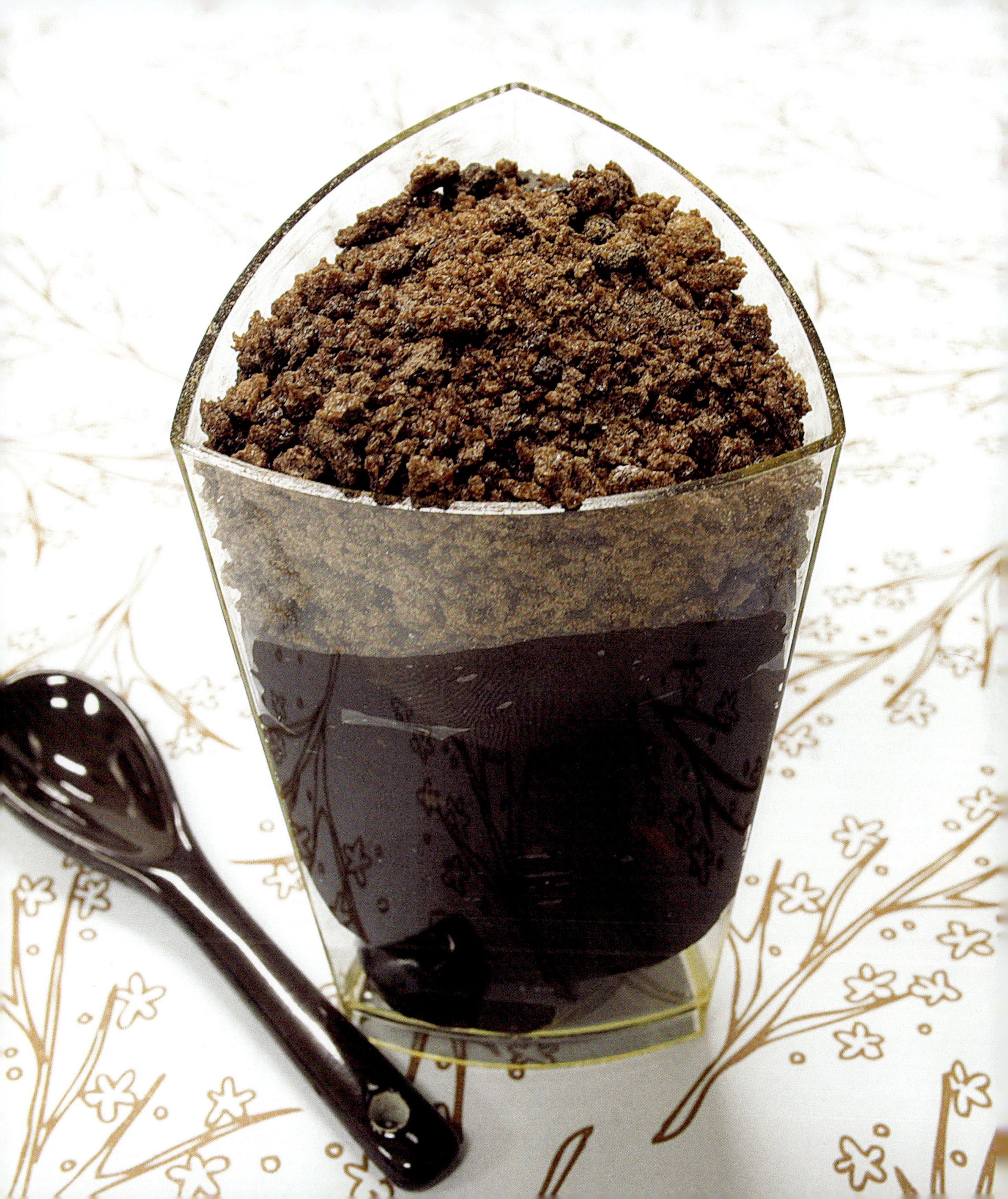

brigadeiro de palha italiana

Rendimento: 25 unidades

Ingredientes
395 g de leite condensado
3 colheres (sopa) de chocolate em pó
50 g de creme de leite
1 colher (sopa) de manteiga sem sal
biscoitos de maisena triturados
açúcar refinado para decorar

Modo de Preparo
1. Coloque o leite condensado em uma panela de alumínio, junte o chocolate em pó e misture bem. Acrescente o creme de leite e a manteiga e misture até estar homogêneo.
2. Leve a panela ao fogo médio, mexendo sempre, até a massa começar a se desprender. Retire do fogo.
3. Acrescente o biscoito triturado e misture bem.
4. Transfira a massa para uma tigela e leve à geladeira para esfriar.
5. Depois de fria, pegue cerca de meia colher de sobremesa de massa de brigadeiro.
6. Para facilitar o manuseio da massa, umedeça as mãos na água. Modele uma bolinha.
7. Passe a bolinha de massa pelo açúcar refinado.
8. Coloque-a em uma forminha de papel forrada com tapete de celofane transparente. Use o mesmo procedimento para as demais.

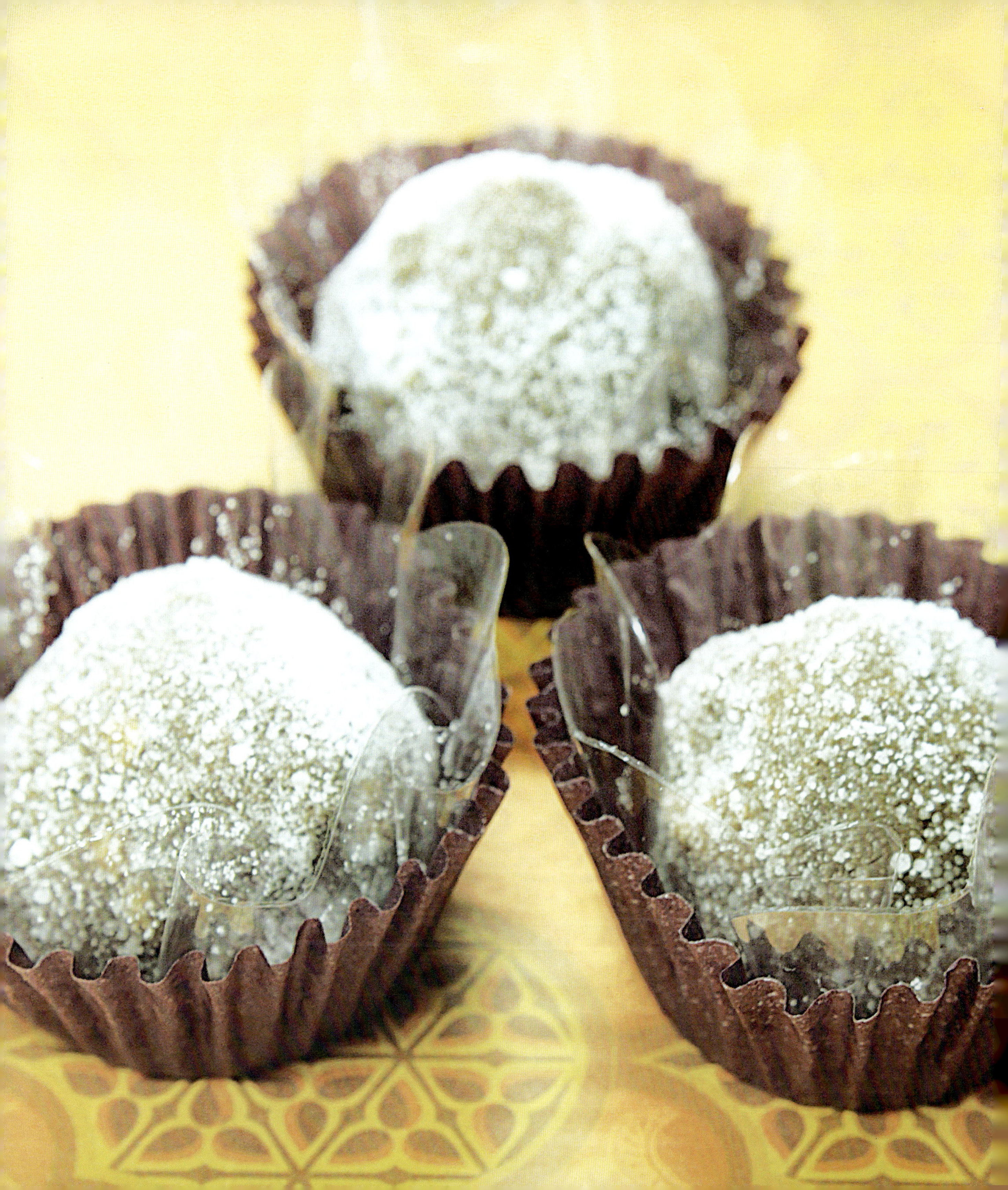

brigadeiro prestígio

Rendimento: 25 unidades

Ingredientes

para a massa do brigadeiro
395 g de leite condensado
3 colheres (sopa) de chocolate em pó
50 ml de creme de leite
1 colher (sopa) de manteiga sem sal

para o recheio de coco
395 g de leite condensado
50 g de coco ralado
coco ralado fino para decorar

Modo de Preparo

1. Para preparar o recheio de coco, leve o leite condensado e o coco ralado ao fogo médio, mexendo sempre, até se desprender do fundo da panela.
2. Transfira a massa para uma tigela e leve à geladeira para esfriar.
3. Depois de fria, modele bolinhas pequenas e reserve.
4. Prepare a massa do brigadeiro: coloque o leite condensado em uma panela de alumínio, junte o chocolate em pó e misture bem. Acrescente o creme de leite e a manteiga e misture até estar homogêneo.
5. Leve a panela ao fogo médio, mexendo sempre, até a massa começar a se desprender. Retire do fogo.
6. Transfira a massa para uma tigela e leve à geladeira para esfriar.
7. Para facilitar o manuseio da massa, umedeça as mãos na água. Modele bolinhas e recheie com as bolinhas de coco.
8. Passe-as pelo coco ralado.
9. Coloque cada uma delas em forminhas de papel forradas com tapete de celofane transparente. Use o mesmo procedimento para as demais.

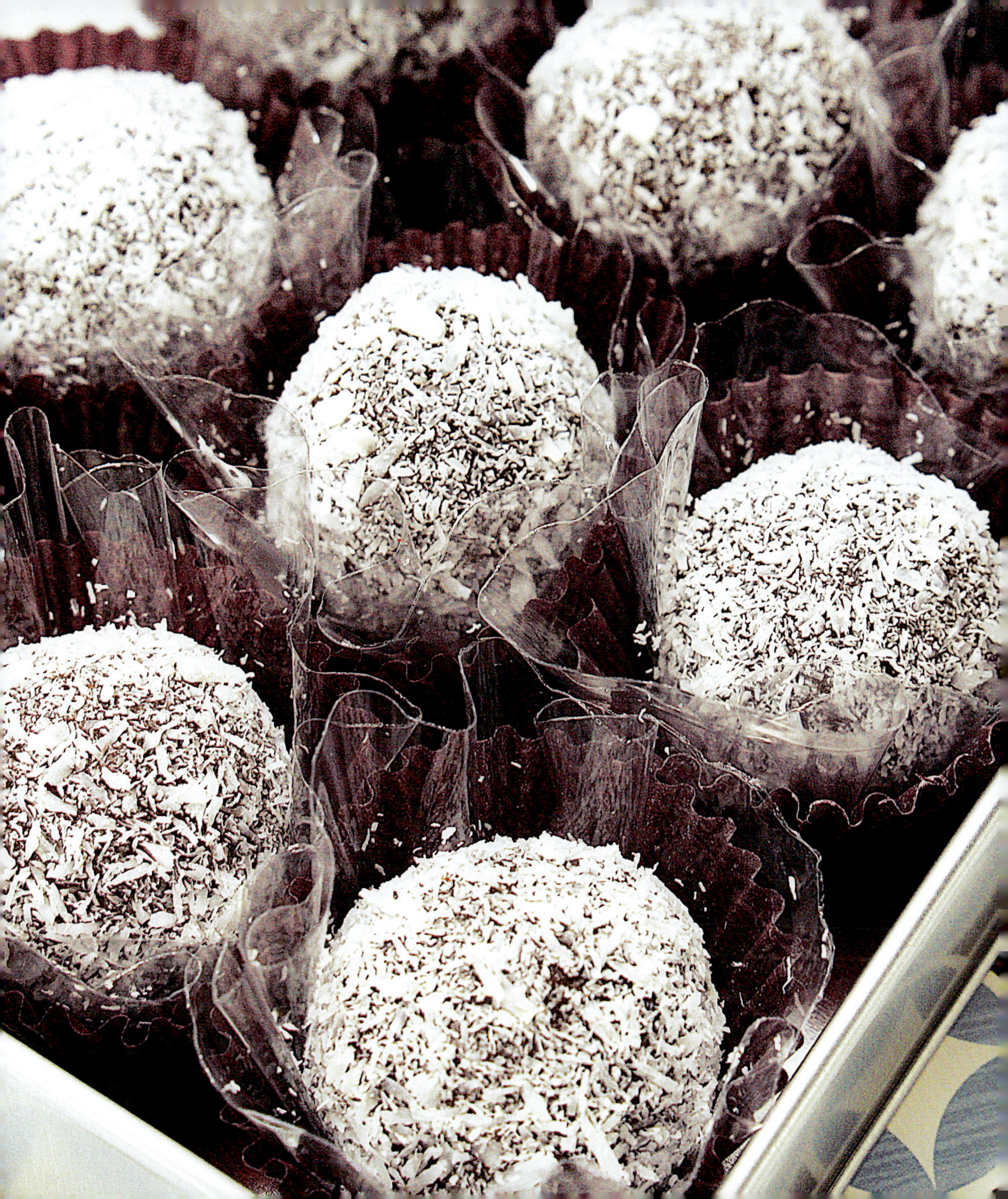

brigadeiro de quindim

Rendimento: 25 unidades

Ingredientes
200 g de açúcar refinado
100 ml de água
1 colher (sopa) de manteiga sem sal
6 gemas peneiradas
50 ml de leite de coco
50 g de chocolate branco
395 g de leite condensado
50 ml de creme de leite
lascas finas de coco para decorar

Modo de Preparo
1. Coloque o açúcar e a água em uma panela de alumínio e leve ao fogo para ferver e formar uma calda em ponto de fio.
2. Desligue o fogo, acrescente a manteiga e deixe esfriar.
3. Depois de fria, junte os demais ingredientes e leve ao fogo médio, mexendo sempre, até começar a se desprender do fundo da panela. Retire do fogo.
4. Transfira a massa para uma tigela e leve à geladeira para esfriar.
5. Para facilitar o manuseio da massa, umedeça as mãos na água. Modele uma bolinha.
6. Passe-a pelo coco em lascas.
7. Coloque-a em uma forminha de papel forrada com tapete de celofane transparente. Use o mesmo procedimento para as demais.

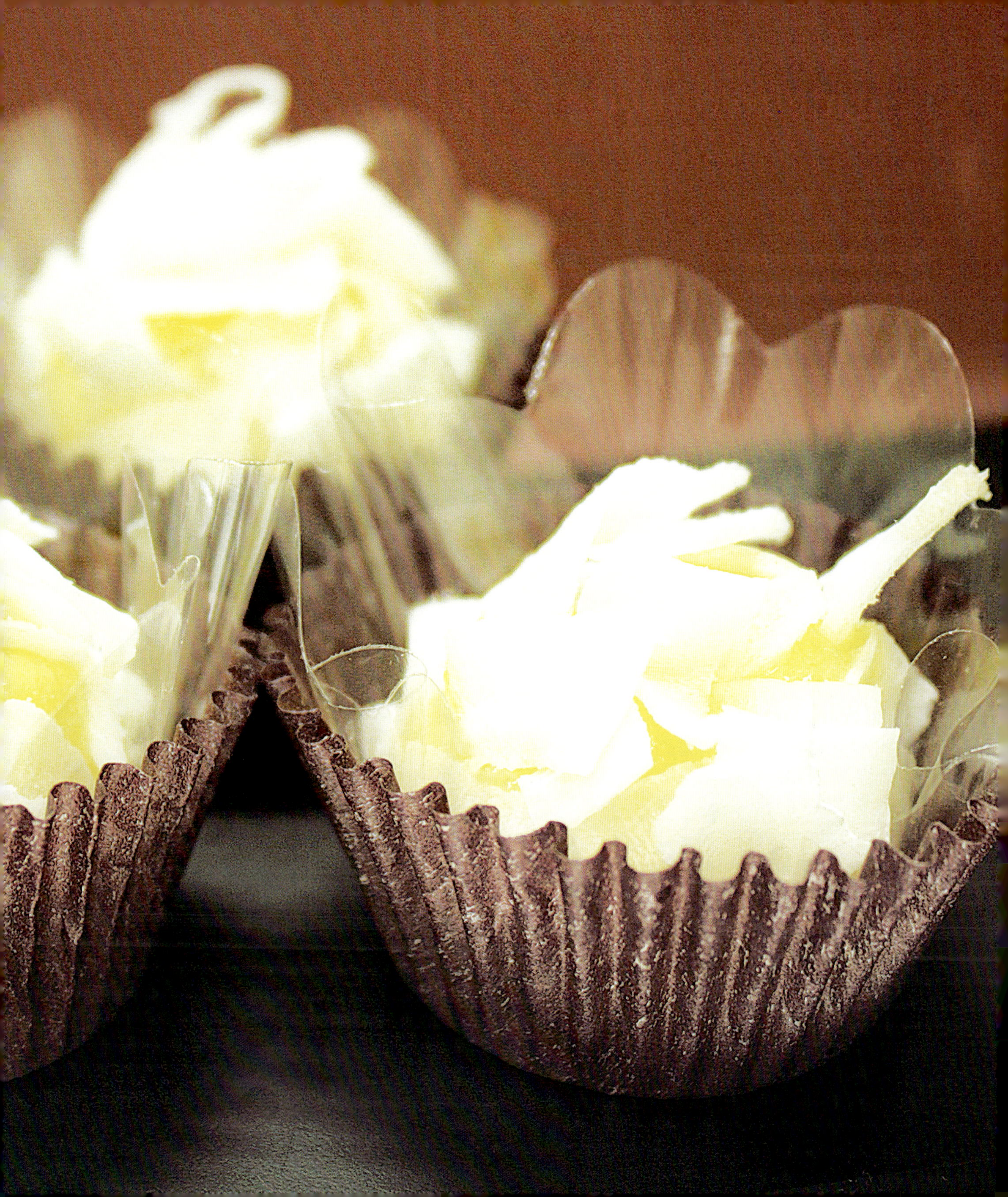

brigadeiro romeu e julieta

Rendimento: 25 unidades

Ingredientes
395 g de leite condensado
50 g de chocolate branco
100 g de cream cheese
1 colher (sopa) de manteiga sem sal
goiabada cortada em cubinhos para rechear
açúcar refinado para decorar

Modo de Preparo
1. Coloque todos os ingredientes em uma panela de alumínio. Leve a panela ao fogo médio, mexendo sempre, até a massa começar a se desprender. Retire do fogo.
2. Transfira a massa para uma tigela e leve à geladeira para esfriar.
3. Depois de fria, pegue cerca de meia colher de sobremesa de massa de brigadeiro.
4. Para facilitar o manuseio da massa, umedeça as mãos na água. Modele uma bolinha e recheie com um cubinho de goiabada.
5. Passe a bolinha de massa pelo açúcar refinado.
6. Coloque-a em uma forminha de papel forrada com tapete de celofane transparente.
Use o mesmo procedimento para as demais.

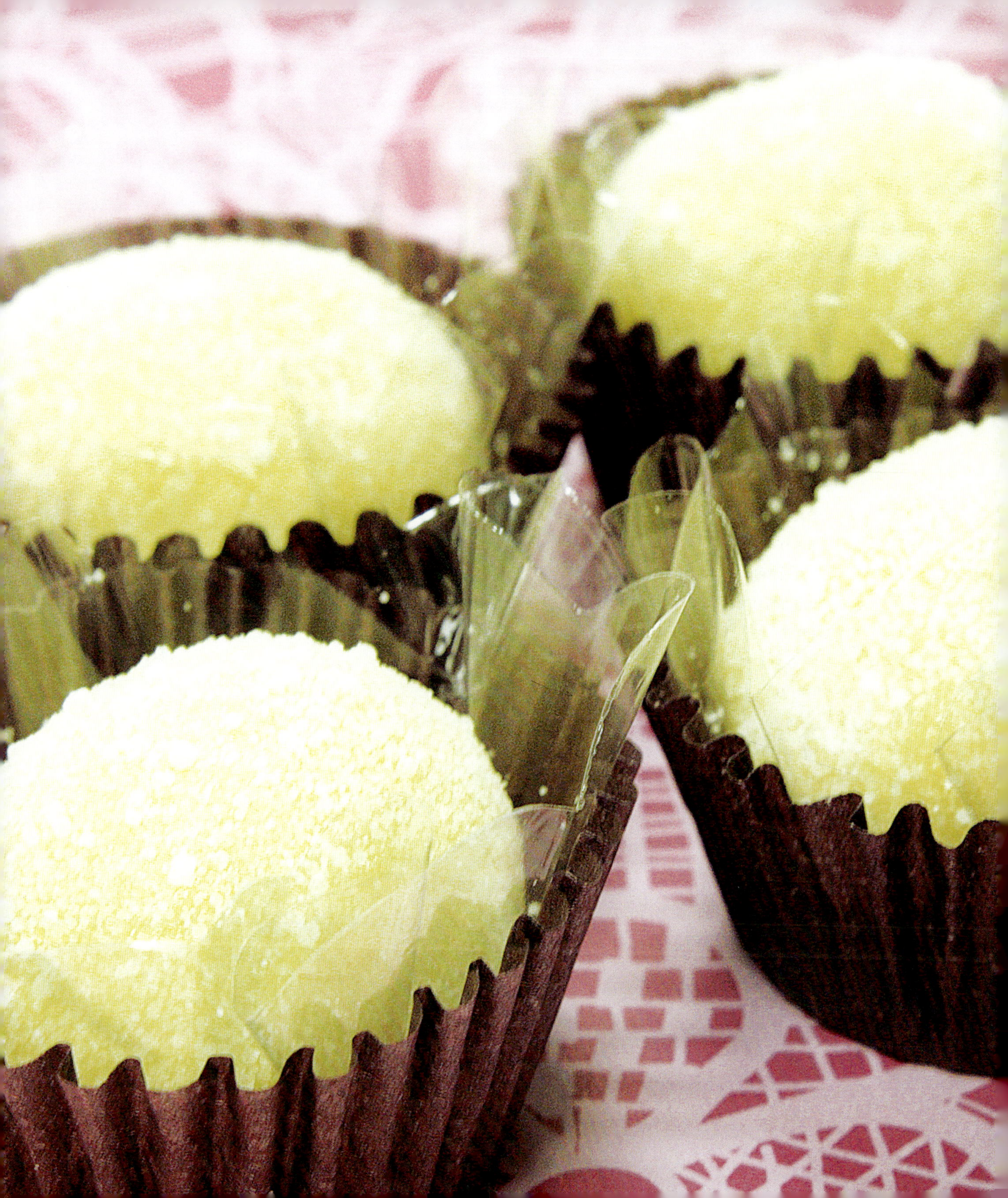

brigadeiro vanilla cookie

Rendimento: 25 unidades

Ingredientes
395 g de leite condensado
80 g de chocolate branco
50 ml de creme de leite
1 colher (sopa) de manteiga sem sal
½ fava de baunilha
1 colher (sopa) de leite em pó
cookies esfarelados para decorar

Modo de Preparo
1. Coloque todos os ingredientes, exceto o leite em pó, em uma panela de alumínio. Leve a panela ao fogo médio, mexendo sempre, até a massa começar a se desprender. Retire do fogo.
2. Acrescente o leite em pó e misture bem.
3. Transfira a massa para uma tigela e leve à geladeira para esfriar.
4. Depois de fria, pegue cerca de meia colher de sobremesa de massa de brigadeiro.
5. Para facilitar o manuseio da massa, umedeça as mãos na água. Modele uma bolinha.
6. Passe a bolinha de massa pelo cookie esfarelado.
7. Coloque-a em uma forminha de papel forrada com tapete de celofane transparente.
Use o mesmo procedimento para as demais.

Brigadeiro Gourmet
foi reimpresso em São Paulo/SP, pela Gráfica Oceano, para a Editora Lafonte, em 2017.